처음이었던 날들

처음이었던 날들

발 행 | 2024년 07월 02일

저 자 | 고민경, 권누리, 나타샤, 무아상, 민세원, 박경영, 박노랑, 정충영, 정형일

펴낸이 | 한건희

펴낸곳 | 주식회사 부크크

출판사등록 | 2014.07.15(제2014-16호)

주 소 | 서울특별시 금천구 가산디지털1로 119 SK트윈타워 A동 305호

전 화 | 1670-8316

이메일 | info@bookk.co.kr

ISBN | 979-11-410-9218-4

www.bookk.co.kr

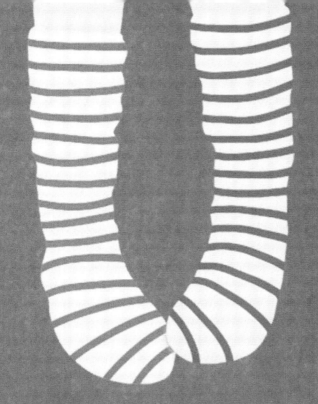

처음이었던 날들

동네북클럽 9인의
첫 경험 이야기

고민경
권누리
나타샤
무아상
민세원
박경영
박노랑
정충영
정형일

BOOKK

추천의 글

무언가를 처음 겪는다는 것은, 때로는 불안하고, 걱정스럽고, 두렵고, 심지어 아프기도 하지만, 때로는 즐겁기도, 설레기도, 자신감이 생기기도, 심지어 환희에 차기도 합니다. 무언가를 처음 시작한다는 것은, 앞으로 겪게 될 이 모든 감정을 알고 있지만, 그마저도 삶의 일부라고 인정하고, 온전히 느끼며 살아가는 용기를 내어보는 것이 아닐까 합니다.

종이책, 전자책, 오디오북 출간 커뮤니티 '동네북클럽'의 '인생 첫 경험'이라는 주제를 담은 첫 문집 '처음이었던 날들'의 출간은 그 용기가 풍기는 진한 향기를 담고 있습니다. 아마도 이 문집에 담긴 작가님들의 인생 첫 경험 이야기들이 풍기고 있는 다양한 감정의 냄새 때문이겠죠.

사실 어쩌면 우리는 모두 매 순간 처음과 끝이 아닌, 오롯이 처음을 반복하며 살고 있는지도 모릅니다. 제가 진행했던 '기록공작소 3기 - 나의 삶, 나의 목소리를 담아내는 글쓰기' 강의의 처음이 커뮤니티 '동네북클럽' 첫 시작의 용기로 이어지고, '첫 문집 출간'의 처음이, 제 생애 첫 추천사 작성의 용기로 이어지듯이. 처음을 반복하며 살아가는 우리 모두에게는 이 용기의 진한 향기가 꼭 필요한지도 모르겠습니다.

이제, 이 문집에 담긴 선생님들의 인생 첫 경험에 대한, 여러 장르의 이야기들이 풍기고 있는 다양한 감정의 냄새가 공감이라는 바람을 타고, 서서히 독자들에게 스며들려 하고 있습니다. 천천히 스며든 냄새들이 삶을 온전히 살아낼 용기의 향기로 독자들의 마음에 새겨지길 바라봅니다.

또한, 앞으로 종이책뿐만 아니라 전자책, 오디오북 등 다양한 형태의 출간으로 연결되는 '동네북클럽'만의 풍성하고 독특한 향기를 기대하겠습니다. 감사합니다.

㈜표현하다 대표 및 오디오북 강사
안 진 영

들어가며

완전한 우연으로부터 중대한 발명이나 발견이 이루어지는 것을 세렌디피티(Serendipity)라고 한다. 2023년 12월 6일 겨울바람이 매서웠던 그날, 오디오북 출간 기념회가 끝났을 때, 동아리를 만들자고 말을 꺼낸 것도 세렌디피티였다. 전혀 계획되지 않은 즉흥적인 제안이었다. "다들 글 쓰는 걸 좋아하고, 쓰신 글들이 매력적인데 후속 커뮤니티를 만들면 어떨까 제안해 봅니다." 제안은 즉흥적이었지만 답은 예상되었다. 모두 글쓰기의 매력에 푹 빠져 있었고, 오디오북을 만들던 열정과 에너지로 시너지를 낼 다음 프로젝트를 원했던 것이다. 그리하여 탄생한 동아리가 바로 '동네북클럽'이다.

동네북클럽 첫 프로젝트의 결과물로 탄생한 책이 바로 이 책, '처음이었던 날들'이다. 처음 시작할 때의 설렘, 흥분, 감동 그리고 때론 아픔은 쉽게 잊히지 않는다. 그 기억을 소환하고, 그 느낌을 모티브로 만든 이야기를 모아 책을 만들면 재미있을 것 같았다. 비슷한 경험을 한 독자들에게는 공감을, 그런 일을 한 번도 겪지 않은 독자에게는 새로움을 선물할 수 있겠다는 생각이 들었다.

아홉 명의 작가는 모두 개성이 넘친다. 장르도 에세이, 콩트, 소설로 다양하다. 고민경 작가의 콩트, '먹는 여자' 시리즈는 생생하고 유머러스하다. 아들 바라기 권누리 작가는 육아맘의 롤모델로 손색이 없다. 나타샤 작가의 에세이는 '처음'을 모티브로 통통 튀는 이야기를 푼다. 무아상 작가의 투병기는 마음을 울리는 동시에 유익한 정보를 제공한다. 민세원 작가의 커피에 얽힌 첫 경험은 커피 마니아의 공감을 불러일으킬 만하다. 박경영 작가의 구수한 사투리 섞인 추억 이야기는 '응답하라 1994'를 능가한다. 박노랑 작가의 사랑 이야기는 풋풋하고 엉뚱한 매력이 있다. 정충영 작가는 인생 첫 소설, '별이 흐르는 길'에서 사랑의 난해함을 그려낸다. 마지막으로 정형일 작가는 코로나가 준 새로운 배움의 기억을 마음껏 풀어낸다.

바야흐로 인공지능의 시대다. 작가에게는 위태로운 시대라고 걱정들이 이만저만이 아니다. 하지만 너무 걱정할 필요가 없다고 생각한다. 왜냐하면 한 개인은 고유한 실존이고, 인공지능이 그 개인의 실존까지 복제할 순 없기 때문이다. 굳이 '가장 개인적인 것이 가장 창의적인 것이다.'라는 마틴 스코세이지 감독의 말을 인용하지 않더라도, 우리는 글을 쓰고, 그림을 그리고, 책을 만들며 절대 카피할 수 없는 자신만의 실존을 계속 표현해야만 한다.

버진 그룹 회장 리처드 브랜슨이 한 말이 생각난다.

"자연도 쇼를 한다. 꽃과 새, 심지어 딱정벌레도 자신을 뽐낸다. 하물며 경쟁이 치열한 이 세상에서 무엇인가를 팔아야 한다면, 그것이 무엇이든 간에 반드시 사람들의 이목을 끌어야 한다."

동네북클럽의 야심 찬 첫 작품집 '처음이었던 날들'이 세상의 이목을 끌 수 있을지는 아직 알 수 없다. 하지만 우리에게 책을 만드는 과정은 오롯이 흥분되는 '이벤트'이자 행복한 '쇼(Show, 보여주기)'였다. '처음'이라는 흥미로운 꼭지로 작가들 자신만의 경험과 이야기를 끄집어내고, 창작해 내고, 이렇게 세상에 뽐낼 수 있다는 사실 하나만으로, 세상이 충분히 우리에 대해 놀라워하고 뜨거운 여름 같은 응원의 손뼉을 쳐줄 것을 믿는다.

2024년 7월, 어느 푸르른 여름날
동네북클럽
정 충 영

차례

먹는 여자

고 민 경

ⓒ 정충영

작가 소개 | 고 민 경

5살 때 글을 배웠다.
내성적인 꼬맹이한테
책은 소우주이자
절친이 되어 주었다.

읽고, 읽고, 또 읽고…
받기만 한 세월
시력마저 흐릿해진
어느 날

어느새 텅 비어있는
그 공간에

드디어 말을 건넨다.

혼밥 먹는 여자

웬만하면 점심시간은 피하고 싶다. 하지만 지금 밥을 먹어야만한다. 평소처럼 카페에서 아메리카노 한 잔과 케이크 조각으로 한 끼 정도는 해결할 수도 있겠지만 이제는 더 이상 기다릴 수 없다. 마지막 관문, 혼밥과 대결해야 할 순간이 온 것이다. 그래, 어쩌면 사람들로 복작거리는 이 시간대가 최적의 타이밍일 수도.

언젠가부터 나는 혼자 노는 데 익숙한 사람이 되어 있었다. 공연이나 영화를 혼자 본다거나 관심 있는 강의에 혼자 가는 것은 일도 아니었다. 요즘에는 둘레길 밋업 모임조차 혼자 가서 군중 속 고독을 즐기다 오곤 한다. 돌아보니 대학 시절 몰래 좋아하던 M 선배가 어느 날 지나가듯 했던 말 한마디가 혼자 놀게 된 계기가 되었던 것 같다. 그날도 과 친구 서너 명과 수다를 떨며 학교 도서관으로 가던 중이었다. 맞은 편에서 걸어 오던 M 선배를 발견한 나는 반가운 마음에 가볍게 눈인사를 보냈다. 평소 같지 않게 나를 빤히 바라보며 지나치던 선배가 갑자기 내게 낮은 목소리로 한마디를 던졌다.

"J야. 넌 보면 항상 사람들에게 둘러싸여 있더라. 너 혼자 아무것도 못 하지?"

그는 대답은 필요 없다는 듯, 한쪽 입술을 씰룩이고는 쌩하니 지나쳐 가버렸다. 한 번도 생각해 보지 않던 질문이었다. 순간 나는 M의 뜬금없는 한마디에 잠시 할 말을 잃은 채 멀어져 가는 그의 뒷모습을 그저 멍하니 바라만 보았다. 사실 그 당시 나는 대외적으로 밝고 사교적으로 보였겠지만 낯선 대학 생활에 적응하느라 내면은 고군분투 중이었다. 혼자 뭔가 한다는 생각만으로도 왠지 존재 자체가 부정당하는 느낌이 들어 무리 속에 들어가 굳이 하고 싶지 않던 많은 일들을 소속감에 대한 대가로 꾸역꾸역하면서 지쳐가던 참이었다. 폭탄처럼 던져진 M 선배의 질문은 그 후로도 계속 머릿속을 맴돌며 한동안 나를 불편하게 만들었다.

점심시간, 사무실이 모여있는 지하 식당가는 여느 때처럼 사람들로 붐빈다.
'그래. 어차피 할 거면, 이왕이면 복잡한 점심시간에 혼자 테이블

차지하고 있는 민폐녀가 되어보지 뭐.'

　슬금슬금 올라오는 묘한 치기를 동반자 삼아, 복잡한 골목골목을 어슬렁거린다.

　'뭘 먹을까. 혼자라도 내가 꼭 먹고 싶은 메뉴를 고를 거야. 그래! 굴국밥 괜찮겠다. 음…, 대기 줄이 기네? 줄까지 서가며 기다리기는 싫은데…. 차라리 따뜻하게 우동 정식 먹을까? 어? 김 과장 일당이 있구먼. 아이 정말….'

　이런저런 핑계로 구시렁대며 어느새 복잡한 지하 식당가를 두 바퀴나 헤매고 있었다. 결국, 평소 잘 가지 않던 좁은 뒷길로 체념하듯 다시 발길을 돌린다. 얼마 전 새로 생긴 추어탕 집. 슬쩍 안을 들여다보니 역시 사람이 꽉 찼다. 잠시 망설이다 일단 문을 열고 들어간다. 다행히 구석에 4인용 테이블 하나가 비어있다. 음식점 주인도 홀 서빙하는 아주머니도 너무 바빠 사람이 들어왔는지조차 모르는 눈치다. 신경 쓰지 않는 척 도도한 표정을 지으며 재빨리 자리를 잡고 앉는다. 메뉴는 뻔하다.

　"여기요! 추어탕 하나 주세요!"
　나도 모르게 새된 목소리로 소리를 질렀나 보다. 갑자기 주위가 조용해지고 매장에 있는 모든 사람이 나를 쳐다보는 듯하다. 민망해져 고개를 떨구고 재빨리 물티슈를 꺼내 엄한 테이블만 박박 문질러 닦는다. 어느새 서빙하는 아주머니가 옆에 서 있다.

"혼자 오셨어요?"

쩌렁쩌렁한 목소리! 갑자기 뭐라 말할지 머릿속이 하얘진다.

"네! 혼자예요. 음…, 손님 많을 시간에 죄송해요…. 괜찮을까요?"

여전히 고개를 숙인 채 테이블을 닦으며 나도 모르게 기어들어 가는 목소리로 묻는다. 알 수 없는 눈빛으로 나를 잠시 바라보던 아주머니는 혼잣말처럼 뭐라 웅얼거리고는 주방 쪽으로 가 버렸다. 순간 긴장이 풀리며 그제야 주변을 둘러볼 여유가 생겼다. 테이블이 여남은 개 있는 작은 식당이다. 그동안 이 앞을 지나다니긴 했지만 이렇게 안에 들어와 보기는 처음이다. 다행히 아는 얼굴은 없고 다들 조곤조곤 얘기를 나누며 열심히 식사 중이다. 그래. 별거 아니잖아. 아무도 너한테 관심 없어. 어느새 안심되어 가방에서 책을 꺼내 우아하게 펴 든다.

"아가씨. 합석해요! 저기 혼자 온 손님하고 같이 좀 앉아요."

갑자기 아주머니가 불쑥 나타나 말을 건넨다. 이건 권유가 아닌 명령이다. 정말 예상 밖의 상황이다.

'낯선 사람들 속에 혼자 먹는 것도 불편해 죽겠는데…. 어쩌지? 모르는 사람과 마주 보고 밥을 먹어야 한다고? 그냥 나갈까….'

잠시 고민하고 있는데 어느새 남자가 맞은 편 자리에 서 있다.

"감사합니다."

그는 무작정 인사부터 하고는 자리에 앉는다. 순간 울컥했지만 혼밥 미션을 위해 여기까지 온 이상 더는 물러서고 싶지 않다. 그래. 그냥 무시하자. 상대는 보지도 않은 채 고개만 까닥이고는 신경 쓰지 않는 척 다시 책으로 시선을 꽂는다. 왠지 이마가 따끔따끔하니 그의 시선이 강렬하게 느껴지는 듯하다.

"혹시…, 저 아세요?"

'뭐지 이 화법은?? 도를 아십니까야?'
황당함에 고개를 번쩍 들어 남자를 본다. 이마가 무척 넓다. 앞으로 더 넓어질 것 같다.

"글쎄요, 모르겠는…, 어…, 어? 선배? M 선배???"

말할 때면 항상 고개를 갸웃하고는 상대 얼굴은 보지 않고 먼 곳을 지긋이 쏘아 보던, 뭔가 신비하고 아련하던 그 눈빛은 어느새 미세먼지 뿌연 새벽공기처럼 흐릿하게 변해 있었다.

"그래그래! 너 ㅇㅇ대학 수학과 J 맞지?"

"아, 네…. 선배, 정말 오랜만이네요."

너무 당황스러워 입에서 저절로 튀어나오는 대로 인사를 건넸다. 갑자기 심장이 콩닥콩닥 뛴다.

"여전하네. 이게 얼마 만이야? 한 10년은 됐나? 예뻐졌네! 회사가 여기?"

한때 남몰래 마음속에 담았던 그 남자가 맞나 싶게 눈앞의 남자는 한 쪽 눈을 찡긋거리며 방정맞고 느끼한 말투로 계속 말을 이었다.

"혼자 밥 먹으러 온 거야?"

그는 내 대답 따윈 관심 없다는 듯 예의 한쪽 입술을 씰룩이고는 침을 튀기며 나지막이 속삭였다.

"허 참. 여자가 혼자 밥 먹는 거, 불쌍하고 청승맞아 보이는데⋯. 특히 넌 예전부터 혼자 못 다녔잖아? 내가 '짠'하고 나타난 백마 탄 왕자 같겠다. 크크크"

아. 뭐라는 거야! 혼자 밥 먹는 여자, 불쌍하고 청승맞아 보인다고? 백마 탄 왕자? 무슨 쌍팔년도도 아니고⋯. 홀로 당당해 보이던 그 사람은 어디로 간 걸까? 그 시절 난 도대체 뭘 보고 이 사람의 말 한마디, 눈빛에 흔들리고 고민했던 것일까⋯.

"우리가 남이가!" 삼삼오오 모여 술 마시면 외치던 건배사였고 어떤 이유로든 무리에서 떨어져 나간 이들을 사회 부적응자로 취급하던 시절이었다. 당시 그는 언제나 혼자 다녔다. 다른 과였던 그를 유일하게 내 의지로 선택했던 교양 수업에서 우연히 알게 되었다. 그와는 조별 과제를 함께 했지만, 수업 시간 외에는 따로 본다거나 사적인 대화 한번 제대로 나눠 본 적 없는 사이였다. 그래서였을까. 별로 말이 없고 늘 혼자 다니는 그가 무척 신비롭고 궁금했다. 당시 성적에 맞춰 선택한 전공에 별 흥미를 못 붙이고 동아리 활동이나 친구들과 가볍게 몰려다니는 재미로 학교를 왔다 갔다 하던 나는 존재에 대한 막연한 불안감으로 하루하루를 그저 정신없이 살고 있었다. 혼자 있는 시간이 너무 두려웠고 항상 누군가를 찾고 무언가를 하고 있어야만 안심이 되었던 시기였다.

그래서였을까. 언제나 당당하게 혼자 다니던 그가 뿜어내는 강렬한 존재감은 내 마음속에 환상을 불러일으키기에 충분했다. 잠시 함께했던 교양수업이 끝난 후 그를 제대로 다시 볼 기회는 없었지만, 우연히 캠퍼스를 지나다 마주치면 눈인사 정도는 서로 나누곤 했다. 그날 도서관 가는 길목에서 그가 내게 잔인한 한마디를 뱉고 가기 전까지는 말이다. 이후, 지금은 기억조차 나지 않는 여러 가지 자잘한 사건들과 전공에 적응하지 못하고 겉도는 대학 생활에 나날이 지쳐가던 나는, 결국 학교를 자퇴하였고 막연히 동경하던 진정한 무소속, 나 홀로 인간이 되었다.

지금 내 앞에서 킥킥대며 웃고 있는 이 인간, 이제 보니 당시에 그냥 왕따였나 보다. 가끔 학창 시절 기억이 떠오를 때면 이 남자가 생각났고, '지금 어디서 어떤 멋진 일을 하며 살고 있을까?' 약간은 설레는 마음으로 상상해 보던 내가 한심했다. 그냥 상상 속의 너로 남지, 왜 내 앞에 나타난 거야. 역시 삶은 다큐야. 나는 펼쳤던 책을 가만히 덮어 가방에 넣고 일어난다. 옆자리를 보니 다 먹은 손님이 나가고 테이블은 비어있었다.

"아주머니! 여기 테이블 비어있는데 저, 자리 옮길게요."

허락은 필요 없다. 공짜 밥 먹으러 온 거 아니다. 일단 가방부터 의자 위에 냅다 던진다. 갑작스러운 상황에 당황하며 두리번대는 그를 똑바로 바라본다.

"선배, 만나서 반가웠어요. 혼자면 어때요? 저는 식사 시간은 즐거워야 한다는 주의라서요. 그럼, 선배도 편하게 식사하세요."

어느새 옆 테이블 위에는 김이 무럭무럭 나는 추어탕이 나를 기다리고 있었다. 잽싸게 자리를 옮겨 앉은 나는 뜨거운 국밥 한 숟갈을 수북이 떠서 입속 가득 넣는다.

아! 꿀맛이다.

시럽 먹는 여자

"여기 바닥에 보라색 화살표 보이죠? 수. 급. 자. 격. 신. 청.이라고 쓰여 있죠? 이 화살표 따라 쭉 가세요. 끝까지 따라 가면 정면에 <수급 자격 처음 오신 분>이라고 기둥에 안내판 붙어 있어요. 그 밑에 있는 기계에서 번호표 뽑고 기다리세요. 네? 안 들려요. 크게 말해보세요. 아. 그건 일단 그쪽 가서 물어보세요."

"아가씨. 뭐해? 빨리 번호표 뽑지 않고. 여기 기다리는 사람들 안 보여? 뭘 눌러야 하는지 모르겠다고? 젊은 사람이 센스도 없구먼. 자, 봐. 여기 동 이름들 보이지? 아가씨 어디 살아? 지산동? 하, 우리 동네네. 왠지 반갑구먼. 호호호. 아이고. 왜 그렇게 계속 꾸물거려? 거기 화면에 쓰여 있잖아. 지산동, 봉화동. 그래그래. 그거 눌러. 번호표 나왔지? 몇 번이야? 121번? 어이구. 앞에 10명이나 있네. 이제 이리 와 앉아서 기다리면 돼. 이 시간 때는 사람이 많아. 보통 한 시간도 넘게 기다려야 해. 어떻게 그리 잘 아냐고? 내가 여길 한두 번 와 봤어야지. 나로 말하자면. 그래. 고용노동부 기간제 공무원이랄까? 일 년에 한 번은 실업급여 타 먹으니까~. 히힛. 나야 요즘에는 어떤 인간들이 실업자가 되나 연구도 할 겸, 사람 구경하러 일부러 이 시간대에 왔지. 실업자도 나름 트렌드가 있다니까. 호호호. 아무튼 모르는 거 있으면 나한테 다 물어봐~.

그나저나…, 아가씨는 실업급여 신청, 처음이지? 그렇지? 딱 보기에도 그래 보이는구먼. 그런데 면접 오는 것도 아닌데 뭘 그렇게 정장을 쫙 빼입고 오셨나? 아. 내 말은…, 그러니까 예쁘다는 말이지. 호호호. 칭찬이야! 칭찬. 그나저나…, 회사에서 짤렸어? 짤린 게 아니라 권고사직이라고? 아이고. 우아하구먼. 우아해. 말이 좋아 권고사직이지. 그게 바로 짤린 거야. 회사에서 권고사직에 동의 안 하면 해고한다고 협박하지는 않았고? 해고당하면 실업급여 못 받는다고 거짓말하는 회사들이 요즘 많거든. 그 음흉한 것들이 이 핑계 저 핑계 대면서 나가라고 꼬셨겠지. 그런 사연 뭐 한두 번 들어? 그래, 그나저나…, 위로금은 좀 받았어? 아이고. 그럼 그렇지. 내 그럴 줄 알았어. 퇴직금이나 제대로 받았으면 다행이겠구먼. 쯧쯧쯧….

그래, 무슨 일했어? 콜 센터 전화 상담? 10년을 했다고? 아직 어려 보이는데…. 그럼, 일을 꽤 일찍 시작했나 보네? 어쩐지 목소리가 사근사근하니 어디서 많이 들어봤던 말투라고 생각했어. 상담원들 말투는 다 똑같더라고. 그나저나…, 종일 전화받다 보면 진상들 많지? 사실 그거 사무실에 앉아서 전화나 받으면서 돈 버는 일인데 감정노동이네 뭐네 배부른 소리 한다고 욕하는 인간들도 많거든. 그거 몰라서 하는 말이지. 사람 때문에 스트레스받는 것처럼 답 안 나오는 일도 없는데 말이야. 그냥 확 받아버릴 수도 없고. 네, 고객님~, 무엇을 도와드릴까요? 싸랑합니다. 고객님~. 상대가 지랄하든 욕을 하든 다 받아줘야잖아…. 어이구. 우리 시어머니가 나한테 전화해서 말도 안 되는 거 매번 물어보는데, 내 처지가 딱 그렇다니까. 그래서 그 심정, 내가 누구보다 잘 알지, 알아.

그런데…, 왜 회사에서 나가래? 진상한테 성질 좀 부렸나. 아냐? 전화 오는 사람이 줄어서 어쩔 수 없이 상담원 수를 줄이고 있다고? 하~, 세상 많이 변했네. 예전에는 스트레스 해소한다고 일없이 그냥 전화해 대는 변태들이 많아서 난리더구먼. 이젠 사람들이 전화로 말 섞는 게 싫어서 아예 전화를 잘 안 한다는 거잖아? 그럼, 문제가 있으면 어디에 물어본대? 인공지능 뭐라고? 상담 서비스? 기계에 물어보면 기계가 사람보다 친절하게 다 대답해 준다고? 아이고. 큰일이구먼. 큰일. 이젠 입으로 먹고사는 인간들도

다 짤리게 생겼구만. 코로나 때는 면상 보고 일하는 인간들이 다 짤려 나오더만. 세상이 어떻게 돌아가려고. 이제 다들 뭐 해 먹고 살 거야? 아는 게 도둑질이라고 웬만한 서비스업 하는 인간들, 주둥이 쓰는 거 빼고 다른 할 만한 일이 있겠어? 다들 이렇게 계속 짤리면 실업급여도 앞으로는 못 받게 되는 거 아냐? 전화 온다고? 알았어, 알았어. 어여 받아."

"여보세요? 너 어디야? 고용센터? 기집애. 넘어진 길에 쉬어간다고 몇 년 만에 쉬는 건데 오후에 천천히 가지 일찍도 갔네. 집에는 얘기한 거야? 안 했다고? 그럼 출근한다고 거짓말하고 나왔구나. 어쩌려고 그래. 지금 통화는 괜찮은 거야? 그래그래. 짧게 할게. 걱정되어서 그렇지.

거기 분위기는 어떠니?? 뭐가 왜야? 그냥 궁금하니까 그렇지. 다양한 인간군상이라…. 너, 시적이다? 그런 소리 나오는 거 보니 아직은 괜찮은가 보구나. 하긴 나야 그런 곳에 가 봤어야. 그래도 얼마나 다행이니? 실업했다고 급여도 나오고. 고마운 줄 알고 그동안 놀면서 무슨 일할지 천천히 찾아봐. 나 같은 자영업자는 뭔 일 생겨서 일 못하면 바로 손가락 빨아야 해. 얼마나 불안한 줄 알아? 거기 비하면 짤렸는데도 나라에서 돈도 나오고. 정말 세상 좋아진 거지. 솔직히 난 네가 부럽다. 부러워. 아! 얘기하다 보니까 갑자기 기억 났는데…, 그 뭐라더라? 요즘에는 실업급여가 아니라 시럽급여라고 부른다더라. 젊은 애들이 실업급여 타서 샤넬 선글라스 사고, 해외여행도 다닌다고 정부에서 엄청 뭐라 하더라고. 아니, 아니 무슨 소리야. 너 들으라고 하는 말이 아니지. 요즘 젊은 것들 말이야. 너야 박봉에 시달리면서 10년을 일하다가 말이 좋아 권고사직이지 짤린 것도 억울한데. 야. 너 벌써 자격지심 생겼나 보다? 어떡하니, 어떡하니.

　아무튼 너도 이번에 제대로 깨달았지? 그렇게 힘들다고 징징대면서도 미운 정이니 고운 정이니, 뭐 그래도 회사밖에 없네. 충성하더니, 봐라. 어떻게 됐나. 인공지능인지 뭔지 기계에 밀린 거잖아. 아무튼 이제부터는 회사 따위 믿지 말고 네 힘으로 살아갈 방법을 찾아봐. 나야 애초에 조직 생활 맞지도 않았고 남의 돈 벌어 주면서 몇 푼 받고 굽실대는 게 싫어서 이 고생하고 지금까지 살고 있다만, 그래도 작게나마 내 가게 내 힘으로 만들었잖아. 뭐 그래봤자 그날그날 먹고 사는 정도지만, 그래도 누구한테 기대지 않고 내 힘으로 산다는 자부심만큼은 있지. 너 그거 무시 못 한다? 이게 다 산전수전 겪어 낸 결과야. 하긴…. 어디에도 기댈 곳 없다는 불안감이 내게는 살아가는 원동력이 되어 준 거지…. 뭐야…. 나 갑자기 눈물 나려고 해. 울기는 네가 울어야 하는데 내가 왜 이런다니.

아무튼 친구야. 인간군상이니, 혼자 외롭다느니⋯. 그런 감상 따위는 다 떨쳐 버리고 신이 너를 위해 마련한 기회라고 생각하고 잘 극복해 봐. 내가 응원하마!! 에궁. 아무튼 아침부터 너 걱정 때문에 일이 하나도 손에 안 잡히더라. 잠깐만. 아! 어서 오세요~. 뭘 드릴까요? 네네, 메뉴 천천히 보세요. 야. 손님 왔어. 거기 일 처리 잘하고 이따 꼭 전화해. 알았지? 용기 내고. 화이팅!"

"121번! 121번!! 이제 오면 어떡해요? 열 번은 불렀는데. 번호판에 불 들어온 거 못 봤어요? 일단 주민등록증부터 주세요. 음⋯, 아직 회사에서 퇴직 서류를 보내지 않았습니다. 이거부터 작성해 오세요. 저쪽 가면 샘플 있으니까 보고 작성해 오시면 일단 접수부터 하겠습니다. 이따 오후에 실업교육 있으니까 받고 가세요. 다음!"

형광등 불빛이 유난히 눈 부시다. 지하라 그런가. 눈이 시어서 왠지 눈물이 날 것 같다. 아. 목말라. 그러고 보니 오전 내내 물 한 모금 못 마셨다. 교육장 안은 이미 시커먼 옷을 입은 중장년 남녀들로 가득했고, 물을 마시러 가고 싶었지만 다시 들어오기 불편할 것 같아 그냥 자리에 앉아 있었다. 백 명은 족히 넘을 것 같다. 넓은 공간인데도 자리가 모자라 긴 책상 하나마다 다닥다닥 붙어 앉아야 했다. 여기저기서 조선족 사투리도 들린다. 자기들끼리

떠들고 질문하는 소리 때문에 한동안 무척 소란스러웠다.

"자, 자. 다들 조용히 하세요. 이제 시작합니다!"

교육은 한 시간 정도 진행되었다. 실업급여란 무엇인지, 실업급여를 받기 위해 해야 하는 일과 해서는 안 되는 일들이 무엇인지 하나하나 예를 들어 설명해 주었다. 특히 부정 수급을 해서는 안 된다고 여러 차례 강조하였다. 지루하고 반복적인 질문들을 마지막으로 교육은 마무리되었고 약속이나 한 듯 갑자기 한꺼번에 몰려 나가는 사람들 사이에 휩쓸려 어느새 나도 건물 밖으로 튕겨 나와 있었다. 바쁘게 거리를 지나는 사람들과 도로를 쌩쌩 달리는 차들을 보니 꿈에서 막 깨어난 듯 갑자기 정신이 번쩍 들었다.

방금 내가 만나고 온 고용센터 모든 담당자는 약속이나 한 듯 눈을 내리깐 채, 상대는 바라보지 않고 기계적으로 자신들이 할 말만 반복적으로 전달하고 있었다. 그들은 모든 민원인을 한결같은 방식으로 아주 공평하게 대하고 있었다. 형광등 불빛 속, 파리하고 무표정한 그 얼굴들…. 낯익고 익숙한 표정들….

그곳에서도 곧 인공지능상담 서비스가 시작될 것이다.

두릅 먹는 여자

강원도 사는 친구가 뜬금없이 두릅을 보내왔다. 고즈넉한 일요일 오후, 아른거리는 봄 햇살 속에 소파에 누워 TV를 보면서 꾸벅꾸벅 졸고 있던 차였다. 갑작스러운 초인종 소리에 깜짝 놀라 나가보니 시키지도 않은 택배 상자가 문 앞에 놓여있었다.

두릅…? 들어도 봤고 분명 어디선가 먹어도 봤는데 산에서 막 채취한, 흙 묻고 잎이 무성한 땅두릅은 처음 봤다. 엊그제까지 강원도 산자락 어딘가에 살다 내 집에 와 있는 이 생물이 신기하기도 하고 생경하기도 해서 어찌해야 할지 갑자기 막막해졌다. 순간 나도 모르게 엉거주춤 주저앉아 한 뿌리를 슬쩍 집어 들었다. 두툼한 머리 쪽은 불그스름하니 칼로 대가리가 댕강 잘린 모양새고, 줄기 쪽은 솜털같이 오종종한 가시들로 빼곡하다. 왠지 징그러운 느낌이 들어 집어던지듯 바로 내려놓는다. 생각해 보니 나는 도시에서 나고 자라, 산이나 바다 먹거리들이 자연

상태에서 살아가는 모습을 제대로 본 적이 없는 것 같다. 갑자기 두릅에 대해 궁금해져 얼른 핸드폰을 집어 들었다.

독특한 향이 강한 두릅은 보통 산나물로 먹고, 땅두릅과 나무 두릅으로 두 종류가 있다고 한다. 땅두릅은 보통 4, 5월에 땅에서 돋아나는 새순을 땅을 파 잘라낸 것이고, 나무 두릅은 나무에 달리는 새순이란다. 특히 자연산 나무 두릅은 채취량이 적어 가지를 잘라다가 하우스에서 재배하기도 한단다. 단백질, 무기질, 비타민뿐만 아니라 사포닌도 들어있어 혈당을 낮추고 혈중지질을 낮추어줘서 당뇨병에 좋다는 데에 눈이 번쩍 떠졌다. 갑자기 친구 목소리가 듣고 싶다.

"여보세요? 아줌마! 웬 두릅? 나야 마트에서 포장해 놓은 야채나 사다 먹는 여자잖아. 이거 외계 생물 같은 것이…, 식용이 아니라 실험용으로 보여. 다듬을 줄도 몰라…."

"얘얘. 울 남편이 얼마나 힘들게 캐어온 건데. 얼마 되지도 않는데 뭘 서울까지 보내냐고 구시렁대는 걸 기껏 생각해서 보내줬더니 무슨 소리야? 너 작년 건강검진 때 콜레스테롤 엄청 높게 나왔다며? 당뇨 전 단계라고도 그러지 않았어? 너 혼자 산다고 대충 먹고 사니까 그런 거야. 두릅이 몸에 엄청 좋다더라. 자연산 땅두릅은 귀해서 약재로도 쓴다니까. 아무튼 요즘 인터넷에 조리법 다 나와 있잖아. 방금 내가 카톡으로 두릅 효능하고 조리법 보냈으니까 참고해서 잘 해 먹어. 버리지 말고 남김없이 다 먹어야 해!"

그래, 말해 뭐 하겠니. 요즘 우리 통화할 때마다 어디가 아픈지 경쟁하듯 서로 하소연하고 있잖아…. 어느새 슬그머니 찾아온 갱년기에 너도 그래? 나도 그래 하면서 같이 탄식하다 자조하다 결국 사는 게 그런 거지 하면서 끝나버리는 대화. 여성에서 여자 사람으로 변해가는 이 시기에 우리 둘 다 처음 겪는 많은 변화가 무섭고 힘들지만 그래도 함께 겪으면서 위로하고 이해하는 친구가 곁에 있으니 든든하다, 든든해. 봄 두릅, 네가 보내 준 카톡 읽어 보니 완전 만병통치약이구나! 흙 묻은 두릅을 상자에서 꺼내 마루에 널어만 놨는데도 온 집 안에 봄기운, 산 기운이 그득하다. 직접 해 먹기는 처음이라 왠지 좀 귀찮고 어색하지만 어디 한 번 네가 보내 준 조리법대로 손질해 볼까~.

두릅 데치기

먼저 만만해 보이는 녀석들로 몇 놈 고른다. 한동안 물에 담가 억센 기운을 뺀다. 한 놈씩 꺼내 두툼한 머리 부분을 세로로 반을 쪼갠다. 뻣뻣한 이파리들은 냉정하게 떼어낸다. 줄기를 가득 덮은

잔가시들은 칼로 살살 긁어내고 흐르는 물에 깨끗하게 씻는다. 냄비에 적당히 물을 받아 소금 두 스푼 정도 넣고 팔팔 끓인다. 끓는 물에 두꺼운 머리부터 먼저 넣고 20초 정도 데친다. 몸통 부분도 한꺼번에 같이 넣고 1분 정도 더 데친다. 재빨리 꺼내 찬물에 헹군다. 체에 올려 물기를 뺀다.

4월 따스한 봄날, 달콤하고 쌉싸름한 두릅을 맛있게 오도독 먹는다.

아들에게 들려주는 엄마의 하루

권 누 리

아들에게 들려주는 엄마의 새벽

ⓒ 권누리

작가 소개 | 권 누 리

아이와 함께 하루하루 성장하는 엄마.

행복한 일상을 글과 그림으로 기록하고 있어요.

매년 눈 오는 날에 아이와 눈사람을 만들고 있어요.

아들에게 들려주는 엄마의 새벽

'드르륵드르륵' 새벽 4시 반을 알리는 애플워치 진동이 울리면 눈을 뜬다. 침대에 누워 옆에 곤히 자고 있는 6살 아들 얼굴을 확인한 후, 다시 눈을 감는다. 그리고 머릿속으로 오늘 새벽에 일어나 성공적으로 아침 루틴을 마치는 나의 모습을 시각화한다. 그렇게 엄마의 하루는 시작된다. 엄마가 삶을 멋지고 보람차게 사는 모습을 보여준다면, 그 모습을 보고 자란 내 아들도 자연스럽게 그렇게 살 것이다. 그래서 오늘은 주원이가 궁금해하던 엄마의 하루에 대해 자세히 써보았다.

주원아, 이 세상이 모든 사람에게 공평하게 주는 것은 딱 하나, 바로 시간이란다. 인생은 시간을 지배하는 사람이 이기는 게임이야. 엄마는 이것을 마흔 언저리 되어서야 깨달았어.

엄마는 태어나자마자 인생이라는 산을 오르라 하길래 그냥 아무 생각 없이 올랐어. 어릴 땐 토끼처럼 뛰어 올라가기도 하고, 친구와 함께 걷기도 하고, 연애도 하면서 올라갔지. 그렇게 인생산(人生山)을 오르다가 갑자기 낭떠러지에서 뚝 떨어졌단다. 그때 '아, 난 이제 틀렸어.' 하고 절망하며 고개를 들었는데 눈앞에 아름다운 풍경이 보이는 거야. 행복이 산꼭대기에 있다고 해서 앞만 보고 갔는데 사실 행복은 계속 내 등 뒤에 있었더라. 하지만 행복은 내가 성장하면 더 큰 행복을 주기도 했지. 그래서 다시 힘을 내어 이번엔 천천히 인생의 한순간들을 즐기며 올라가기 시작했어. 지금은 주원이와 주원이 아빠랑 손잡고 주원이 걸음 속도에 맞추어 올라가고 있는데, 지금, 이 순간이 엄마의 인생에서 가장 행복하단다.

사람마다 추구하는 가치와 행복이 다르지만, 그 어떤 목표든 처음부터 전력 질주한 사람이 앞서가듯 하지만, 뛰다 지쳐 쉬는 동안에 느리지만 부지런하게 걸어가던 사람이 먼저 도달하기도 하지. 어디서 들어본 이야기 같다고? 그래. 인생은 꼭 토끼와 거북이 이야기랑 비슷한 것 같아. 아주 높은 산에 올라가는 경주를 할 땐 너무 앞만 보지 말고 천천히 너의 페이스대로 즐기면서 올라가렴. 세상에 쓸모없는 것은 없단다. 다양한 세상을 직접 보고 경험한 것들이 하나하나 쌓여 너만의 미래를 만들어 가는 거란다. 그렇게 할 거 다 하면서 가면 뒤처진다고? 아니, 성공한 사람들의 비밀 방법이 있어. 그 비밀은 바로 시간이란다. 시간을 아주 효율적으로 사용하면 돼. 모두에게 똑같이 주어지는 24시간을

72시간처럼 사용하는 사람이라면 당연히 더 많은 것을 할 수 있겠지? 그래서 오늘은 엄마가 24시간을 어떻게 사용하는지 살짝 알려 줄게.

엄마는 하루를 사흘처럼 보낸단다. 주원이가 태어나고 몇 년 동안 이리저리 방법도 바꿔보다가, 이렇게 루틴이 잡힌 것 같아. 하루를 새벽, 오전, 오후 시간으로 나눠서 보내. 그러면 하루가 엄청나게 길게 느껴질 거야.

처음엔 피곤하지만 사흘만 하면 적응되어 괜찮아질 거야. 그리고 무엇보다도 잠들기 전, 만족스러운 하루를 보냈다는 것에 엄청 뿌듯한단다. 그 만족감이 설렘이 되어 새로 시작되는 내일이 기다려질 거야.

엄마는 원래 새벽 1~2시에 잠들었었어. 그러다 주원이가 아기 때 새벽 3시까지 자꾸 깨서 아예 주원이가 푹 잠든 후에 잠들었단다. 그랬더니 잠이 부족해 아기 낮잠 시간에 같이 자곤 했어. 그러다 번쩍 정신을 차릴 때면 이미 깜깜한 밤이 되어버려 하루 종일 잠만 자다 끝나는 그런 날이 반복되었어. 결국 우울증이 찾아왔단다.

그러던 어느 날 시한부 엄마가 아이를 위해 찍은 영상을 봤어. 살날이 3개월밖에 남지 않아 정리하다 보니 찍어놓은 사진도 별로 없었대. 그래서 아이를 위해, 아픈 엄마의 모습과 이때 아들의 모습을 기록으로 남긴 거였지. 그 영상을 보고 펑펑 울면서 '나도 언제 죽을지 모르니까 주원이를 위해 우리의 행복한 모습을 기록으로 남겨줘야겠다.'라고 다짐하게 됐단다.

그날부터 엄마는 하루 2시간씩 자면서 독학으로 영상편집을 공부하며 우리의 순간들을 유튜브에 올렸어. 또 주원이의 귀여운 모습을 그림으로 그리곤 했지. 목표가 생겨서 그런 걸까? 신기하게도 집중해서 하다 보니 잡생각과 우울증이 싹 사라졌어. 그리고 계속 그림을 그렸더니 처음엔 완전 발로 그린 것 같았는데, 이제는 우리 집 거실 책장마다 엄마 그림을 전시할 만큼 좋아졌단다.

처음 엄마가 되었을 땐, 호르몬 변화와 회복되지 않은 체력에 내 몸 하나 건사하기도 어려웠단다. 너무 우울하고 힘들어서 '오늘 하루가 빨리빨리 지나가 버렸으면 좋겠다'는 생각뿐이었는데, 지금은 별로 한 것도 없는 데 왜 이리 시간이 빨리 지나가는지 아쉬워. 어떻게 하면 시간을 알뜰살뜰하게 잘 보낼 수 있을까 고민하다 보니 자연스레 독서도 많이 하게 되고, 다른 사람들의 시간 활용에도 관심을 두게 되었지. 도서관에서 시간에 관련된 책을 모두 빌려서 읽었단다. 그중에 엄마에게 가장 좋은 자극을 준 책은 베스트셀러 "미라클모닝"이야. 아침 일찍 일어나는 습관을 통해 삶의 질과 성공을 향상하는 방법인데, 명상, 긍정적 확언, 시각화, 운동, 독서, 글쓰기를 새벽에 잠깐 하는데도 삶에 긍정적인 변화를 준다는 내용이야. 이 책을 통해 꿈에도 생각 못 했던 새벽 시간을 활용하는 방법을 배웠단다.

그러다가 김미경 강사의 인터뷰를 보게 되었어. 그분 어머니께서 걱정거리가 있거나 힘든 일이 있으면 새벽 4시 반에 일찍 일어나라고 하셨대. 그 말이 나한테 참 와 닿았던 것 같아. 왜냐하면 사실 엄마는 어렸을 때부터 12시 전에 자면 항상 새벽 3~4시에 일찍 일어났었어. 하지만 너무 이른 새벽에 무엇을 하겠다는 생각을 못 하고 다시 억지로 잠들곤 하며 시간을 낭비했지. 그런데 나와 같은 시간에 일어났지만 어떤 사람들은 전혀 다른 선택을 했고, 그 소중한 시간을 잘 살려 자기 계발하며 성장한 것에 충격을 받았단다. 난 왜 그런 생각을 하지 못하고 그 많은 시간을 허투루 보냈을까. 의미 없이 흘려보낸 시간이 너무나도 아깝더구나. 엄마가 그때 책을 많이 읽었더라면 다양한 정보를 얻어 좀 더 알차게 살았을텐데 라는 후회를 많이 했단다.

그래서 우리 주원이는 우물 안 개구리로 살지 말고, 더 넓은 세상에서 성공한 사람들의 방식을 배웠으면 좋겠어. 어떻게 하냐고? 책에는 과거부터 현재까지 훌륭한 사람들의 모든 지혜가 담겨있잖니. 우린 너무나도 쉽게 그들의 지식을 배울 수 있단다.

니체는 "평소의 습관과 생활 태도가 나를 형성하고 계속 변화시킨다. 이는 내 마음과 인성과 몸에도 영향을 준다. 지금의 나는 그 결과이며, 내일의 나는 지금부터 하는 나의 모든 행동에 의해 만들어질 것이다."라고 했단다. 처음부터 뭐든지 잘할 수는 없어. 실수도 계속하고 넘어지면 일어서고, 나쁜 것은 고치고, 장점은 더 발전시키면서 나라는 사람을 하나하나 다듬어가는 거야. '내가 선택한 행동과 말이 바로 지금의 나를 만들었다.'라는 것을 기억하며 나쁜 말은 자제하고, 예쁘고 긍정적인 말을 쓰도록 노력하면 돼. 이렇게 엄마는 현재의 나보다 더 나은 나를 만들기 위해 성공한 사람들의 조언을 귀담아듣고, 실행하려고 노력하고 있어. 물론 쉽지 않지만, 사람은 하고자 하는 의지가 있으면 뭐든지 할 수 있단다. 그렇게 엄마 만의 하루가 계속 수정되면서 지금의 루틴으로 만들어졌지. 그럼, 이제 엄마의 하루 중에 가장 중요한 아침 루틴을 알려줄게.

몰입의 아침 (새벽 4시 30분 ~ 7시 30분)

엄마는 아침에 애플워치 진동으로 새벽 4시 반에 일어난단다. 핸드폰 벨 소리로 했을 때 주원이까지 함께 일어나곤 했지만, 애플워치 진동은 딱 엄마만 일어날 수 있었어. 새벽 4시 반에 일어나려면 무조건 밤 10시 전에 일찍 자면 된단다. 밤 9시 반에 주원이 잘 때 같이 잠들면, 정말 개운하게 푹 자고 일어나는 것 같아. 어쩔 때는 알람 없이도 새벽 2-3시에 일어나기도 해. 하지만 처음부터 일찍 일어나기는 굉장히 어려워. 지금까지 살아왔던 삶의 리듬을 깨트려야 하기 때문에 그 저항력에 맞설 엄청난 의지력이 필요 해. 그래서 엄마는 잠들기 전에 누워서 '새벽 4시 반에 일어나야 해.' 하고 나 자신에게 얘기한단다. 그러면 진짜 새벽에 눈이 떠져. 마치 새벽 비행기를 타야 하는 날엔 일찍 일어나는 것처럼 말이야. 우리 몸은 어떻게 마음먹기에 따라 행동이 달라진단다.

새벽의 시간은 정말 너무나도 소중해서 절대 낭비하면 안 돼. 처음 일주일 동안 다양하게 시도해보고 자신에게 맞는 루틴을 만들면, 꼭 해야 할 행동만 할 수 있어서 시간 낭비를 하지 않아. 새벽 루틴이 습관이 되면 일어나서 굳이 무엇을 할지 생각하지 않아도 저절로 행동하게 되어서 매우 효율적이란다.

1. 기상 – 체중체크 – 물 마시기 – 플랭크 1분

엄마는 잠에서 깨면 누워서 10초 동안, 아침 루틴을 성공적으로 해내는 나의 모습을 시각화한단다. 내가 새벽에 일어나 열심히 공부하는 모습을 사진으로 찍은 것처럼 그 모습을 생생하게 떠올리고 침대에서 일어나지.

조용히 내려오고 싶지만, 옆에서 자는 주원이 아빠 위로 한번 뒹굴어서 살짝 깨운단다. 가끔 아빠도 엄마랑 같이 새벽에 일어나 공부하곤 해. 안방 문은 주원이가 깨지 않게 아주 조용하게 닫고 살금살금 나오지.

세수하고, 서재에 가서 체중 체크를 해. 앱 연동되는 체중계라서 핸드폰에 자동 입력이 되어 어제 많이 먹은 것을 반성하고 또 그만큼 헬스장에서 불태울 것을 다짐한단다. 주원이가 무럭무럭 자라서 18킬로그램이 넘자, 엄마가 더 이상 안아줄 수가 없더구나. 그래서 바로 헬스장을 등록하고, 하루에 2시간을 정말 열심히 운동했어. 생각보다 체중은 많이 빠지지 않아 슬펐는데 이 글을 쓰는 석 달 동안 지방 3.5킬로그램이 빠지고, 근육이 1.2킬로그램 증가했단다. 안 맞던 바지가 딱 맞을 때 얼마나 기쁘던지!

그리고 상온의 물을 한 컵 마시고, 거실에서 플랭크 동작을 1분을 해. 엄마랑 종종 하지? 이 동작을 추천하는 이유는 1분이란 짧은 시간에 온몸을 깨우는 효과가 있어서 아침 시간을 더욱 효과적으로 보낼 수 있어.

2. 확언

나에게 제일 긍정적인 자극이 되고 마음에 와닿는 문장을 적어서 책상 앞에 붙여둔단다. 엄마는 플랭크로 몸풀기가 끝나면 서재 창문을 조금 열어 환기해. 차가운 새벽 공기가 방으로 유입되면서 머리도 맑아지고 상쾌해지거든. 책상에 앉으면 바로 앞에 붙여 둔 포스트잇의 긍정 확언을 큰 소리로 읽는단다.

'나는 취미생활로 월 천만 원 번다.', '오늘은 내 최고의 날이다.', '난 할 수 있다.'라고 적어 두었지. 그렇게 소리 내어 읽으면서 기지개를 켜면, 긍정적인 기운이 내 몸에 들어오는 느낌이야. 확언을 하면 할 수 있다는 목표와 긍정적인 마인드 때문인지 더 집중이 잘 되는 것 같아. 하루 동안 부정적인 생각이 들 때면 이 긍정 확언을 소리 내어 말해보렴. 그런데 어디서 들어본 것 같다고? 맞아. 유치원 등원하면서 엄마랑 하는 마법의 주문이지? 엄마랑 손잡고 "난 용감하다! 난 뭐든지 잘할 수 있다. 선생님께 질문도 많이 한다! 대답도 씩씩하게 잘 한다! 친구들과 사이좋게 지낸다! 오늘은 내 최고의 날이다!!"라고 외치고 가잖아. 엄마가 해보니 너무 좋아서 우리 주원이에게도 마법의 주문을 알려 준 거야.

긍정적인 반복은 믿음을 만들고, 그 믿음이 강한 확신으로 변할 때 세상이 바뀌기 시작한다는 말이 있어. 주원이도 이미 느꼈지? 그래서 엄마가 깜빡할 때는 "엄마, 마법의 주문해야지!"라고 먼저 알려주곤 하잖아? "항상 좋은 일이 있을 거야."라고 말하면 별일 아닌 일도 좋은 일로 바뀔 수도 있어. 모든 것은 마음에 달린 거니까. 주원아, 나중에 커서도 힘들고 어려운 일이 있을 때 이 마법의 주문을 외치면 극복할 수 있을 거야.

3. 5분 일기쓰기

　전날 주원이가 내려준 드립 커피를 마시면서 일기를 10분 정도 쓴단다. 막 내린 드립 커피를 좋아하지만, 새벽에 원두 갈면 너무 시끄러우니까 전날 미리 주원이가 가득 만들어 준 드립 커피를 마시고 있어. 비록 향은 미미하지만, 사랑이 듬뿍 담겨서 엄마는 더 좋단다. 일기는 오늘 자 말고 어제 했었던 일들을 기록하고 있어. 왜냐하면 주원이 재우면서 엄마도 같이 잠들어버려서 기록할 시간이 없거든. 그날의 특별한 일들은 항상 사진으로 찍어두기 때문에 어제 사진을 보면 다시 기억이 새록새록 나서 더 좋아. 지금은 3년 일기장에다가 손으로 적고 있어. 3년 일기장은 한 쪽에 3칸으로 나눠져 있어. 예를 들어 2024년 1월 1일, 2025년 1월 1일, 2026년 1월 1일을 한 쪽에 다 적을 수 있어. 일 년이 지난 후 일기를 쓸 때 작년에 내가 이렇게 보냈구나 하고 과거를 다시 볼 수 있으니 재밌단다. 예전에는 노션 앱에다가 사진과 함께 아주 자세하게 기록했었는데 주원이가 어느 정도 크고 비슷한 하루를 보내다 보니 지금은 아주 세세하게 기록하진 않아. 대신 3년 일기에 적은 것을 사진으로 찍은 후 일기 내용을 복사해서 노션 앱에다가 붙여 넣고, 사진을 같이 첨부하고 있어. 기술이 나날이 발전하니 또 보고 적을 필요가 없어 편하네. 엄마 아빠가 사진과 영상을 엄청나게 찍어서 어디만 갔다 하면 1,000장은 기본인 것 같아. 그렇게 놀러 간 것을 편집해서 영상 하나로 만들어 보관하고 있지.

아이가 5세 미만이라면 하루하루 성장하는 모습과 발화 때 기록하는 재미가 있지. 엄마는 주원이가 매일 어떤 단어와 말을 했는지 기록하고, 영상으로도 남겨두었어. 그러다 도서관 오디오북 제작 프로그램에 참여했단다. 주원이의 4년 기록을 바탕으로 시나리오를 쓰고, 탄생 순간의 응애응애 우렁차게 우는 목소리와 처음으로 단어 말하는 목소리 그리고 노래 부르는 것도 중간중간에 함께 넣었어. 기억나지? 엄마랑 매일 밤 자기 전에 부르는 자장가와 유치원에서 배워 온 노래를 주원이가 부르는 것을 녹음했잖아. 오디오의 첫 시작 부문은 주원이와 대화하는 것도 녹음했지. 그렇게 우리의 소중한 순간을 5분짜리 오디오북으로 만들었지. 엄마는 4년 동안 매일 일기 쓴 것뿐이었는데 그것으로 오디오북을 만들 줄은 상상도 못 했단다. 이렇게 작은 하나하나가 모여서 생각지도 못한 작품이 만들어지기도 한다는 것을 몸소 깨달았단다. 주원이도 성장 과정을 엄마와 함께 만들었다는 성취감을 느낀 것 같아서 정말 일기 쓰길 잘 한 것 같아.

4. 필사 10분

일기를 쓴 후에는 독서를 1시간 정도 한단다. 엄마는 중요한 부분이나 마음에 와닿는 문장을 손으로 적으며 필사하고 있어. 예전에는 앱 원노트에 필사했었어. 원노트는 나중에 읽었던 것을 다시 찾아보기 쉬운 장점이 있어. 키워드를 치면 어떤 페이지에 작성해도 원노트 전체를 검색해 주거든. 하지만 노션은 그 페이지에서 있는 것만 검색이 되는 불편함이 있어서 독서기록은 원노트가 좋은 것 같아. 엄마는 몇 년 동안 독서하면서 좋았던 문장을 원노트에 필사했는데, 쌓이고 보니 이것도 수백 개가 되었단다. 아마도 이 글을 쓰기 위해서 필사해 두었나 봐.

여러 연구 결과에서 손으로 글씨를 쓰면 뇌 기능을 촉진시켜 학습 능력을 높인다고 한단다. 이런 연구 결과를 접한 다음부터 엄마는 손으로 적고 있어. 지금은 다이소에 파는 6분할 면 수학연습장에다가 필사하고 있어. 타이핑을 하면 빠른 시간에 많은 내용을 적을 순 있지만, 기억에 남는 게 거의 없더구나. 하지만 손으로 쓰면 손이 아파서 많이 쓸 수는 없어서 정말 마음에 드는 문장들만 수집하고 있어. 수학연습장은 칸이 나뉘어 있으니 보기에도 쉽고 정리하기에도 편한 것 같아.

요즘은 우리 아들을 위해 동화책을 만들고 싶어서 워밍업으로 동화책을 필사하고 있단다. 아직 글자를 모르는 주원이를 위해 ㄱㄴㄷ 책을 만들려고 해. 그래서 시중에 있는 ㄱㄴㄷ에 관련된 동화책을 모두 필사하고 있어. 그리고 주원이가 좋아하고 재미있어하는 책도 필사하고 있어. 그림책은 글밥이 많지 않아서 하루에 하나씩 필사하면 10분 정도 걸리는데 그 정도면 충분히 잠들어 있던 뇌를 깨우기에 좋은 것 같아.

5. 독서 30분 ~ 1시간

동화책 필사로 워밍업한 후 읽고 싶었던 책을 읽는단다. 아침엔 주로 나 자신에게 긍정적인 자극을 주는 자기계발서나 육아서를 많이 읽고 있어. 엄마는 주로 자기계발서와 육아서, 경제서를 읽는 것을 좋아해. 지금 현재에 제일 도움이 되는 실용서라서 그런가 봐. 사실 엄마는 초등학생 때까지는 외삼촌과 책을 엄청 많이 읽었단다. 그때는 아파트에 매주 책을 가득 실은 도서관 버스가 왔었어. 그날 읽고 싶은 책들을 한가득 빌려서 읽곤 했지. 하지만 언제부턴가 그 버스가 오지 않고, 도서관으로 가야 했던 것 같아. 하지만 도서관이 너무 멀기도 하고 학교 내신에 집중하다 보니 책에서 멀어진 것 같아.

그러다 회사원때 너무 힘든 시기에 다시 독서를 하기 시작했단다. 그때는 무조건 '하루에 1권 읽기' 목표를 세웠어. 그랬더니 점심시간에도 읽고, 출퇴근 버스에서도 책을 읽었어. 어릴 때부터 차멀미를 심하게 해서 차에서 핸드폰도 못하고 그냥 잠자곤 했는데, 아무리 생각해도 자투리 시간은 출퇴근 버스를 타는 시간이 제일 긴데, 멀미 때문에 그 시간을 날리는 게 너무 아까운 거지. 이리저리 시도한 끝에 책을 눈높이에 들고 읽으면 멀미가 나지 않아 읽을 수 있었어. 그렇게 100일동안 1일 1독을 했었단다. 살다 보면 억울하고 고통스러운 시간을 만날 수 있지만 그 시간이 지나면 그 역경이 나의 성장과 발전의 기회였음을 알게 될 거야. 사람은 어려운 시기를 극복한 후 한층 성장한단다. 주원이도 나중에 삶이 힘들 때면 책에 빠져보렴. 책에는 그런 역경 때 다른 사람들은 어떻게 극복했는지 등의 지혜와 용기도 얻을 수 있어. 그리고 힘든 일로부터 시선을 돌려 책에 집중하다 나오면, '그 일이 생각보다 별거 아니네.'라는 생각이 들 거야. 살다 보면 내가 어찌할 수 없는 일들이 생겨 너무 힘들 때도 있지만 그 시간을 참고 견디면 다시 괜찮아진단다. 엄마는 나쁜 일이 생기면 그다음엔 좋은 일이 생기고, 또 나쁜 일이 생기고 좋은 일이 생기고 이 패턴이 계속 반복되니 그냥 그러려니 한단다. 힘들다고 모든 것을 포기하지 말고, 그냥 그 시간이 흘러가길 버티면 돼. 이 시기를 너의 지식과 내면을 성장시키는 시간이 왔다고 여기고, 도서관의 모든 책을 읽겠다는 생각으로 하루 종일 책만 읽으렴.

엄마가 자주 얘기하지. 모르는 것이 있으면 책을 찾아보자고. 책에 모든 답이 있다고 말이야. 엄마도 처음에는 책 1권 읽는데도 4시간 걸렸다가, 나중에는 하루에 책 3~4권도 읽을 수 있었어. 정약용 학자는 "무릇 책을 읽을 때는 내 학문에 보탬이 될 만한 것을 살펴보고, 그렇지 않으면 눈 여겨 볼 필요도 없다. 이렇게 하면 백 권의 책도 열흘 정도 공들이면 읽을 수 있느니라."라고 하셨지. 같은 분야의 책을 계속 읽다 보면 중복되는 내용도 많단다. 내가 이미 잘 아는 내용은 넘어가고, 나에게 필요한 내용만 읽으면 돼. 성공한 사람들은 아무리 바빠도 매일 책을 읽는단다.

주원아. 책을 읽고 나면 그냥 끝나는 게 아니라 그 내용을 남에게 설명할 수 있어야만 진짜 너의 지식이란다. 엄마랑 책을 읽은 후 서로 질문하기 하잖아. 질문하면서 내가 생각하지 못했던 것을, 질문을 통해 다시 보게 되지. '이건 왜 이런 걸까?'하는 질문을 던지면 그에 대한 답을 찾기 위해 좀 더 깊게 생각하게 되겠지. 질문 하나가 자유롭고 창의적인 생각으로 확장할 수 있단다.

엄마가 매일 등원할 때 선생님께 질문하라고 하지? 모르면 아는 척하지 말고, 질문해서 확실히 너의 것으로 만들어야 해. 새로 배운 것은 엄마에게도 알려주거나 스스로 자신에게 질문하면 된단다. 그리고 스스로에게 답을 해주는 거지. 그러면서 문제의 답을 찾아가는 거야. 집에서 과학 실험을 하거나 수학, 한글을 공부한 후 어떻게 하지? 거실에 있는 커다란 칠판에 배운 걸 쓰면서 복습하지? 새로운 지식을 그렇게 적으면서 말로 설명하면 확실하게 기억할 수 있어.

이렇게 독서하다 보면 시간은 금방 지나가고, 주원이의 기상으로 엄마의 새벽 시간은 마치게 돼. 만약 상황에 따라 늦게 일어나게 된다 해도 조급할 게 없단다. 이미 해 왔던 루틴이 있기 때문에 평소 1시간 독서를 10분 읽기로 조절하면 돼. 늦게 일어났다고 아무것도 하지 않고 아침을 그냥 보내면, 그날은 하루 종일 아무것도 하지 않고 끝나게 될 때가 많단다. 하지만 아침 출발부터 알차게 보낸다면 그날은 아주 보람찬 하루를 보낼 거란다. 그만큼 아침 시간은 아주 소중하고 중요하기 때문에 노력하지 않아도 그냥 습관처럼 하게끔 루틴을 만드는 게 좋단다. 주원이도 이미 자신만의 아침 루틴도 있어. 매일 눈뜨자마자 하는 것들이 이미 너의 습관이 되어 몸이 자연스럽게 움직이고 있지.

기상 - 화장실 - 손 씻기 - 엄마랑 대화하면서 아침밥 먹기 -
책읽기 - 마법의 주문 - 등원

이 루틴도 주원이가 자라면서 조금씩 업그레이드하면 돼. 엄마는
시도해 보지도 않고 무조건 '안 돼, 못 해' 하는 것을 제일
싫어한단다. 맛있는 음식도 먹어봐야 맛있는지 알 수 있잖니.
엄마는 주원이가 우물 안의 개구리가 아닌 넓은 세상으로 나가서
다양한 경험을 해봤으면 해. 주원이가 어떤 보물을 가졌는지는
스스로만 발견할 수 있어. 겉모습보다는 내면이 단단한 사람,
현명한 사람이 되었으면 한단다. 주원이는 엄마의 소소한 새벽
시간보다도 더 멋진 새벽 시간을 보낼 수 있을 거야. 다음에는
엄마의 나머지 하루에 대해서도 알려줄게. 오늘이 마지막인 것처럼
후회없이 최선을 다해 하루를 살자!

오늘도 처음: 세 가지 이야기

나 타 샤

© 나타샤

작가 소개 | 나 타 샤

평화주의자. 동화 같은 세상을 꿈꾸고, 그림을 그리고, 글을 써요.

Instagram @ natasha.drawing

* 이 글에 나오는 일부 영어 표기는 국립국어원 맞춤법 표기에 맞지 않습니다. 따르는 것이 좋을까 고민했으나, 현지에서 읽고 들은 단어의 맛을 살리기 위해 수정하지 않았어요.

교통사고는 처음이라

휴대전화를 켜고 구글 지도 앱을 열어 영국 '브라이튼 Brighton'을 검색해요. 런던에서 남쪽으로 76킬로미터 떨어진 바닷가죠. 시내 중심부의 아무 곳을 선택해서 스트리트 뷰를 누르면 어느새 '노스 레인 North Laine'이란 길 위에 서 있어요. 알록달록한 벽화와 아기자기한 상점들, 달콤한 디저트 향기, 넘쳐나는 관광객들로 활기가 가득한 곳이죠. 짐을 챙기지 않고 침대에 누워 밤마다 훌쩍 떠나는 여행. 이제 브라이튼의 지도를 북쪽으로 살짝 올려 '팻참 Patcham' 지역으로 가볼까요? 이곳이 제 인생 처음이자 부디 마지막일 교통사고를 당한 동네예요.

어릴 때부터 학교는 아파도 무조건 가야 하는 곳이었어요. 특히 영국에 올 때 나름의 계획과 규칙이 있었기에 수업에 빠지는 일은 있을 수 없었죠. 사고가 일어나기 전날, 늦은 밤까지 친구들과 클럽을 돌아다니다 더 놀자는 그들을 뿌리치고 기어코 혼자 택시를 타고 집으로 온 건 오전 수업에 가야 했기 때문이었어요.

다음 날 아침에 사고가 날 줄 알았다면 그냥 밤새고 놀다가 하루쯤은 실컷 늦잠도 자고 수업 땡땡이도 쳤을 거예요. 어처구니없게도, 사고 후 정신을 차리자마자 제일 먼저 이런 생각부터 나더라니까요. 후회해 봤자 소용없는 일이지만, 그래도 후회가 되는 걸 어째요.

시내에 있는 학교에 가려면 20분 정도 버스를 타야 해요. 사거리 모퉁이에 있는 버스 정류장은 집 앞 2차선 도로 건너에 있었죠. 그날 아침은 평소보다 일찍 집을 나섰어요. 개인 학기를 마치고 잠시 유럽 여행을 떠나는 친구가 제게 인사하러 학교에 들르지 않을까 싶어 서둘렀거든요. 그러다 꽝, 이층버스에 치였어요.

사고 현장을 두 눈으로 목격한 친구의 말에 의하면, 제가 무려 7미터를 날아 아스팔트 길에 떨어졌다고 해요. 저야 전혀 기억나지 않지만요.

정신을 차렸을 때, 눈부신 조명 아래 흰 가운을 입은 사람들이 정신없이 움직이는 것을 보면서 이곳이 병원이라는 것을 알게 되었죠. 그리고 목 보호대를 한 채 꼼짝없이 응급실 침대에 눕혀져 있다는 것을 깨달았어요. 그 외엔 별로 떠오르는 기억이 없어요. 정말 믿기지 않아서 눈물도 안 났어요. 여행을 떠난다던 친구가 제

소식을 듣고 달려왔어요. 뭐라고 말해야 할지 걱정이었다는데, 환자복을 입은 제가 병실 침대에 누워 도리토스를 봉지째 야무지게 먹고 있어 웃음부터 나왔대요. 왜 그때 갑자기 배가 고팠는지 모르겠어요.

사고 소식을 들은 한국의 가족들은 그야말로 난리였다죠. 캐나다 어학연수를 다녀와서 영어를 제법 할 것으로 기대를 모은 오빠가 집안을 대표해 병원에 전화했어요. 그런데 간호사가 자꾸 '다이 Die'라고 말하더래요.

"아니, 그저 교통사고라고 들었는데, 내 동생이 죽었다고요?"

오빠는 몇 번이나 다시 확인하고 나서야 환자의 생일을 묻는 '데이 Day'를 영국식 발음으로 묻는 거였다는 걸 깨닫고 겨우 가슴을 쓸어내렸죠. 그러고는 동생이 이층버스에 치여 혼자 일어나 화장실도 못 간다는 이야기에 당장 영국으로 오겠다고 했어요.

영국 병원은 병실은 물론 문밖에도 앉아 있을 의자나 보호자가 쉴 공간이 없어요. 환자의 모든 치료나 간호는 병원이 맡기 때문에 보호자가 옆에서 환자를 간호하거나 간병인을 두는 일도 없죠.(물론 부자들의 1인실은 다르다고 해요.) 이곳에는 전문 훈련 프로그램을 이수하고 환자를 간병하는 건강 간호 보조사 HCA(Health Care Assistant)가 있거든요. 그래서 한국에서 가족들이 이곳에 온다고 한들 병원에 누워있는 저를 위해 할 수 있는 일은 별로 없었죠. 더군다나 '다이'와 '데이'도 못 알아듣는 분이 와봤자 제 일과 골치만 늘어날 게 뻔하잖아요. 그래서 말했죠.

"아무도 오지 마."

그로부터 수년이 지나서야 그날의 기억이 퍼즐 조각처럼 맞춰졌어요. 길에 쓰러져 바라보던 거리, 몸을 움직일 수 없다고 느낀 순간, 끊임없이 내 이름을 물어보는 구급 대원(아마 정신을 잃을까 봐 물었던 듯한데, 영어 듣기와 말하기 시험 같아서 귀찮고 그저 졸릴 뿐이었어요.), 응급실 침대에서 의사와 간호사가 오가는 것을 바라보다 다시 정신이 들었을 땐 텅 빈 복도 이동식 침대에 혼자 누워있던 일 등등 말이에요. 그제야 비로소 외롭고 두려운 마음에 눈물이 쏟아졌죠.

참, 퇴원하고 한 달이 지난 어느 날 무려 5천 파운드, 한화로 약 850만 원의 병원비 영수증이 홈스테이 집으로 날아왔던 에피소드도 있답니다. 영국의 의료시스템은 NHS(National Health Service)로 불리는 국영 의료 서비스 시스템이에요. 대개 지정된 GP(General Practitioner)라고 불리는 공공 동네 가정의원에 예약하고 진료를 받아야 하지만, 응급상황일 때는 A & E(Accident and Emergency)를 이용해 바로 대학병원과 같은 의료기관에서 검사와 치료를 받을 수 있어요. 학생비자와 같이 합법적으로 체류하는 외국인을 포함해 모든 사람에게 치과를 제외하고는 무상 의료를 제공하기에 저 역시 병원비를 내지 않아도 됐지만, 병원 행정처에서 저의 비자를 확인하지 않았던 거예요. 이걸 해결하려고 서류 준비하랴, 편지 쓰랴, 영어 실력이 부쩍 늘었죠.

그때는 지역신문에 'Woman, 25, hit by bus'라는 제목의 기사도 실렸어요. 6개월 후 한국에 돌아올 때까지 목발을 짚어야 할 정도로 꽤 큰 사고였거든요. 영영 못 걸을 수도 있다는 생각은 하지 않은 채 뾰족구두를 신고 목발로 걷는 동양 여자애는 학교에서도, 버스 정류장에서도, 해변에서도, 심지어 클럽에서도 화제였죠. 그때 조심하지 않아서인지, 제대로 치료받지 못해서인지 오랜 시간이 흐른 지금까지도 후유증이 있어요. 그래도 신문 기사는 스크랩해 두었어요.

어느 여행이든 해프닝 없이는 시작과 끝이 없죠. 지금 당장 기차를 갈아타야 하는데 캐리어의 바퀴가 빠진다거나, 트램을 반대로 탔는데 30분이나 몰랐다든가, 에어비앤비 호스트와 연락이 닿지 않아 숙소 주변을 한없이 맴돌았다든가, 엘리베이터가 없는 5층까지 무거운 캐리어를 끌고 올라가다 손에서 피가 났다거나 하는 것처럼 여행할 때면 항상 뭔가 이거 하나쯤은 기억해야 한다는 듯이 사건이 일어나요. 하지만 뭐니 뭐니 해도 브라이튼에서의 교통사고만큼 기억에 남은 일은 없어요. 오른쪽 골반에 생겨난 통증으로 아주 뚜렷하게 새겨졌으니까요.

오늘 밤에도 어쩐지 골반에서 무릎까지 찌릿찌릿하네요. 침대에 누워서 지도 앱을 열어요. 나의 브라이튼을 기억하며, 굿나잇.

첫인상 프로젝트

　얼마 전 브라이튼에 다녀왔어요. 춥고 축축한 봄이 지나고 문득 여름이 오면 한 달쯤 몹시 뜨거운 햇볕이 내리쬐는 곳이죠. 제게는 무척 특별한 곳이라 벌써 네 번째 방문이에요.

　스물다섯, 이곳에 와, 전 세계에서 영어를 배우기 위해 모여든 사람들과 '칼리지 College'라는 곳에서 공부하며 열 달을 보냈어요. 가족과 떨어져 혼자 살아본 건 이때가 처음이었어요. 이곳에 도착한 지 얼마 지나지 않아 빨간색 이층버스에 치이는 교통사고가 났고, 런던 '웨스트엔드 West End'로 가서 〈오페라의 유령〉이나 〈레미제라블〉, 〈라이온 킹〉을 공연하는 뮤지컬 극장에서 아르바이트 하겠다던 계획은 무산됐어요. 당시 전 한국에서 공연을 기획하고 홍보하는 일을 하다 왔기 때문에 런던 극장에서 일을 하면 좋은 경험이 될 거라 기대했거든요.

　브라이튼에서 머무는 동안 영국인 가족의 집에서 홈스테이

했어요. 사고가 나고 런던으로 가지 못하는 바람에 오롯이 남은 시간을 이곳에서 보냈죠. 제 또래의 아들 둘을 둔 월터 Walter와 바바라 Barbara는 한국의 제 부모님과 나이대가 비슷해요. 월터는 은퇴한 영국 왕실 근위병이었고, 바바라는 간호사였죠. 첫인상은 낯선 외국인일 뿐이었는데, 곧 아빠와 엄마처럼 무척 친근하게 느껴졌어요. 그 집에는 저를 포함해 다섯 명의 학생이 살았답니다. 튀르키예에서 온 자매 푼다 Funda와 풀리야 Fulya, 이라크인 의사 밀라드 Milad, 중국인 톰 Tom, 그리고 저였죠.

한국으로 돌아와서도 종종 월터와 페이스북이나 왓츠앱 메신저로 이야기를 주고받았어요. 아저씨와 아줌마는 저를 '한국 딸'이라고 말하고, 저는 두 분을 '영국 아빠 엄마'라고 부르죠. 월터는 이야기를 나눌 때마다 제게 놀러 오라고 말했어요. 교통사고 이후 영국을 떠나고 그 뒤로도 두 차례 갔지만 매번 그리워요.

"딸, 이번 여름휴가 때 영국에 오지 않을래? 이곳에 널 위한 방이 있다는 거 알고 있지? 네가 여행을 많이 다니니 이곳에서 머물며 유럽에 가도 좋을 거야."

안 그래도 포르투갈 여행을 계획했는데, 이런 제안은 거절할 수가 없죠. 그렇게 전 또다시 브라이튼에 갔답니다.

특별히 무언가를 하지는 않았어요. 검은 자갈로 가득한 해변에서

뒹굴뒹굴하다가 타운으로 가 막스앤스펜서 Marks & Spencer와 웨이트로즈 Waitrose, 세인즈버리 Sainsbury's 같은 슈퍼마켓이나 브라이트의 유일한 쇼핑몰인 처칠 스퀘어 쇼핑센터 Churchill Square Shopping Centre를 구경했어요. 그리고 저녁엔 영국 아빠 엄마와 식사하며 이야기를 나눴죠. 함께 저녁 산책을 하기도 하고요.

동네의 작은 골목길을 걷다가 바바라가 저의 첫인상을 말했어요.

"어리고 귀엽고, 수줍어하면서도 영어로 말하는 것을 결코 두려워하지 않은 소녀였지. 사고가 난 후, 병원에서도 집에 돌아와서도 많은 친구가 병문안을 왔어. 다치고 나서도 넌 밝았어. 우린 그때 네가 만들어 준 크리스마스 토끼 장식을 아직도 가지고 있단다. 넌 정말 스윗해."

작고 귀여운 스윗걸이라니. 정말이지 이 글을 쓰고 있는 지금도 손발이 쪼그라들 것만 같아요. 작고 귀엽다는 이야기는 생전 처음 들었거든요.

평생 지속되는 기억을 만들기까진 30분을 넘지 않고, 사랑에 빠지는 순간은 단 7초라는 연구 결과가 있어요. 첫인상은 3초 만에 만들어진다고도 하고, 0.1초면 충분하다는 연구도 있죠. 이토록 빠르게 새겨진 첫인상을 바꾸려면 40시간 이상의 시간과 60번 이상의 만남이 필요하다는 기사도 보았어요.

심리학자 앨버트 메라비언 Albert Mehrabian이 발표한 이론에 따르면, 인상이나 호감을 결정하는 것은 표정이나 태도가 55%나 차지하고, 목소리가 38%, 대화의 내용을 포함한 언어적인 요소는 겨우 7%에 불과하다고 해요. 서로 잘 모르는 상태에서 이야기를 나누게 되면 그 내용보다는 시각적인 요소가 인상을 만드는 데 매우 많은 영향을 받는다는 거예요.

우리는 왜 유독 처음을 기억하는 걸까요? 첫 만남, 첫 여행, 첫사랑같이 말이죠. 그렇게 주변인에게 저의 첫인상에 대한 설문조사가 시작되었습니다.

지인 A

"똑 부러져 보였어요. 절대 순진해 보이진 않았죠. 친절하게 대하는데 뭔가 선을 긋는 것이 좀 세 보이기도 하고 나랑 별로 친해지기가 싫은가 보다 했죠."

지인 B

"외모에 대한 인상보다 에피소드가 기억에 남아요. 만난 첫날에 초콜릿에 직접 그림을 그려서 선물로 줬는데, '이렇게 따뜻하게 마음을 쓰는 사람이 있구나.'하고 놀랐어요. 또 하나는 같이 일하면서 어떤 업무가 꼭 필요했는데, 상사가 탐탁지 않아 할 때도 단호하게 그 이유를 말하는 모습을 보면서, '와, 할 말은 또 제대로 하는구나.' 하고 생각했죠."

지인 C

"조금 차가운 이미지였어요. 시크하고 도도한 카리스마가 있어 보였죠. 회의 때 노트북 키보드를 타닥타닥 치면서 정확히 포인트 짚어 말하는데, 엄청 똑 부러진 사람이라고 느꼈어요."

지인 D

"첫 만남 때 차분하고 논리정연하게 말한다고 생각했어요. 좀 차갑게도 느껴져서 경계했는데, 옆에서 사람들을 계속 챙기는 걸 보고 다정한 사람이라는 걸 알게 됐어요. 특히 웃긴 이야기를 들으면 목을 젖혀가며 웃는 모습이 인상적이었죠. 그 후로 줄곧 웃기려고 노력하고 있어요."

지인 E

"똑 부러지는 사람. 직접 만나 함께 일하면서 말투와 손짓 등이 우아한 사람이라 생각했어요."

제 첫인상에 대한 설문조사를 간단히 정리하면 '조금은 차갑다.'이겠죠. 하지만 어느 정도 경계가 무너지면 따뜻하거나 웃긴 사람일지도 모르겠어요. 물론 때로는 끝까지 차갑게 굴 때도 있고, 털털하다 못해 실수투성이 일 때도 있죠. 아마 이런 첫인상은 성격유형검사인 MBT I와 연결되지 않을까 싶어요.

전 여러 번 MBTI를 검사할 때마다 극도의 내향형을 가진 INFP가 나오더라고요. 업무 특성상 많은 사람을 만나야 하기에 외향형인 척을 하지만요.(월급은 MBTI도 바꿀 수 있습니다.) 누구에게나 말을 걸고, 어색함이 없이 다양한 이야기를 끄집어내고, 여러 모임에 참여하며 사람들을 만나지만, 사실 누구도 제게 말을 걸지 않기를 바라죠. 그래서 차갑게 보일 수도 있겠네요.

그러니 40시간의 시간과 60번의 만남을 기다려주세요. 제게도 바바라가 본 스윗함이, B가 느낀 따뜻함이, 그리고 D가 알게 된 다정함이 있으니까요.

나의 첫 리틀 포레스트

시외버스를 타기 위해 남부터미널에 도착했을 때, 90년대로 회귀한 듯한 그곳의 분위기가 낯설어, 오래돼 모서리의 천이 해진 의자에 앉지 못하고 얼마간을 서성였어요. 입구에 걸린 전자시계가 빨간빛을 번쩍였고, 출발 시각까진 5분쯤 남았어요. 고속버스가 줄지어 서 있는 승강장을 두리번거리다 시동을 켠 차를 발견했어요. 무주로 가는 버스였죠.

삶이 시작된 순간부터 지금까지 서울에 살고 있어요. 이곳에서 335킬로미터쯤 떨어진 어느 시골에는 엄마의 형제가 살고 있어요. 예전에는 조부모님이 사셨던 곳이죠. 어린 시절을 돌이켜보면 이곳에 간 기억은 열 손가락 안에 꼽을 정도라, '시골에 간다.'라는 것은 인생의 굉장한 이벤트였어요. '리틀 포레스트 Little Forest'를 꿈꾸며 무주행 버스를 탄 것 또한 그야말로 이벤트였죠.

영화 〈리틀 포레스트〉(2018)에서 주인공 혜원은 일도 사랑도 뭐하나 뜻대로 되는 게 없죠. 그러다 자신만의 삶을 살기 위해 고향으로 돌아와 직접 키운 농작물로 삼시 세끼를 만들어 먹으며 계절을 보내요. 영화는 영화일 뿐, 영화 속 혜원의 세상은 제가 감히 상상할 수도 없는 세계만 같았는데, 어쩌다 전 무주로 가게 되었을까요?

서울의 삶은 익숙하지만 답답했죠. 지하철을 탈 때마다 사람들의 어깨와 가방에 짓눌려 숨이 가쁘고 눈앞이 까매지곤 했어요. 그저 컨디션이 안 좋은 거라고, 회사에 가기 싫어서 꾀병이 난 거라고 치부했던 그 간헐적 증상들이 점점 잦아질 때쯤에야 심각성을 깨달았죠. 그 누구도 만나고 싶지 않았고, 그럼에도 그 누구와도 만나야 했던 모든 상황에서 벗어나고 싶었어요. 숨통을 트여줄 무언가가 필요했어요. '혜원처럼 식물을 직접 키워보고 싶어.'

지난봄, 회사 옥상에 작은 텃밭을 가꾸기 시작했어요. 흙을 뚫고 발아하는 씨앗처럼, 지리멸렬한 삶에 햇볕과 물과 바람을 선물했고, 그날들을 짧은 오디오북으로도 담았죠.

봄이 시작되면서 회사 옥상 텃밭에 상추와 깻잎 모종을 심었다. 과연 이 삭막한 콘크리트 건물 사이에서 잘 자랄까 싶었다. 상추는 대여섯 번 솎아 직원들과 점심에 함께 먹었고, 깻잎도 여러 번 뜯어 나눴다.

마침내 봄이 지나고 여름이 오자 깻잎은 어느새 나무처럼 훌쩍 커버렸다. 내리쬐는 태양과 쏟아붓는 빗줄기 속에서도, 어느 화창하고 살랑-살랑- 바람이 부는 날이면 깻잎은 바람에 흔-들 흔-들 춤을 췄다. 그리고 어디서 날아왔는지 바질잎이 삐-쭉 흙 위로 올라왔다. 기후위기 속에서도 식물은 잎을 피우고, 벌은 꽃을 찾았다. 그렇게 제 할 일을 하는 순간들이 한없이 대단하게 느껴진다.

          - 나타샤, 〈기후 위기가 대체 뭔 상관이라고〉 중에서

  영화 속 혜원 같은 삶을 꿈꿨지만 정작 서울을 떠날 생각은 못 했어요. 서울이 아닌 곳에서 사는 것을 생각해 본 적이 없거든요. 하지만 옥상 텃밭의 상추와 깻잎이 무성하게 자랐던 그해 여름을 지나 겨울을 마주했을 때, 저는 평소답지 않게 시골에서 2박 3일을 보내 보자는 선택과 실행을 해버렸어요. 그렇게 무주로 떠났죠.

  무주에 도착했을 땐 이미 스산한 어둠이 깔려 있었어요. 초겨울 산자락에 불어오는 바람 속에는 아직 그 누구도 밟지 않은 첫눈처럼 깨끗한 공기, 어색함과 긴장감으로 쭈뼛대는 제가 섞여 있었죠.

  무주의 아침은 빠르게 왔어요. 아직 남은 밤이 길 텐데 어디선가 닭이 시도 때도 없이 울어대더군요. '서울에선 강아지 짖는 소리가 들릴 텐데 닭 소리도 신선하네.'싶었어요. 겨울을 앞둔 날씨치고는 꽤 따뜻했어요. 수족냉증이 있는 제가 반소매만 입고도 추위를

느끼지 못할 정도였어요.

'배가 고파서 돌아왔다.'는 혜원은 눈 쌓인 밭에서 배추와 파를 뜯어 배추된장국을 만들어요. 영화의 첫 음식이죠. 저의 첫 리틀 포레스트의 음식은 다슬기 된장국이었어요. 제겐 할머니 집에서 종종 먹었던, 할머니의 음식이죠. 하지만 할머니가 뇌졸중으로 쓰러져 침대에 누워만 계셔야 했던 그날 이후로는 먹지 못했어요. 할머니가 돌아가신 후로는 오랫동안 잊고 지냈기에 '아, 이런 음식도 있었지.'라는 생각이 들었어요.

식사를 마치고 나온 무주의 거리는 작고 아담했어요.
"여기가 무주 안성면 시내예요."
누군가가 이렇게 말했어요. 물이 흐르는 안성교 옆에서 단풍이 얼마 남지 않는 나무 사진을 찍었어요. 매달려 있는 잎사귀가 애처롭게 보였죠.
"낙화놀이 알아요? BTS의 RM 뮤직비디오에도 나오는데. 며칠 전 여기서 낙화놀이를 했어요."
낙화놀이는 줄불놀이라고도 하는데, 주로 뱃놀이에서 흥을 돋우기 위한 것이죠. 뽕나무와 소나무, 상수리나무 껍질을 태워 만든 숯가루를 한지 주머니에 가득 담아 나뭇가지나 긴 장대에 줄로 매달아 불을 붙이면, 불씨 주머니에 든 숯가루가 타면서 불꽃이 사방으로 떨어지죠. 밤하늘의 불꽃이 멀리 날아가는 것 같아 낙화놀이라고 해요. 눈앞에 검은 하늘에 흩뿌려진 붉은 꽃잎을 떠올렸어요. 떨어지는 불꽃은 분명 꽃잎 같았을 거예요.

사과 농장에 갔어요. 나뭇가지에 작고 동그랗게 매달린 빨간 사과 하나를 똑 따서 바지에 쓱쓱 문질러 닦고는 한입 베어 물었죠. 입안에 사과즙이 가득 채워지는데, '사과가 이렇게 맛있었나?' 싶었죠. 영국에서 핑크레이디라는 품종의 사과를 매일 챙겨 먹은 기억이 떠올랐어요. 골든 딜리셔스라는 종과 레이디 윌리엄스 종을 교배한 품종인데, 핑크빛을 내 핑크레이디로 불려요. 한국으로 돌아온 후로는 사과를 잘 먹지 않았는데, 무주에서 사과를 먹은 뒤론 사과를 조금 더 좋아하게 될 것만 같았어요.

어느 하루는 숲속에서 필라테스를 했어요. 고요함 속에 새들이 지저귀고, 살랑거리는 바람을 맞으며 명상할 거라는 기대는 오산이었어요. 미친 듯이 불어대는 바람에 낙엽과 머리카락이 한데 어우러져 날렸어요. 비를 잔뜩 숨긴 바람에 나무들이 흔들리고 있었죠. 갑자기 불안과 긴장이 밀려와 차분히 숨을 쉬며 진정시켰어요. 오늘이 지나면 또다시 서울로, 일과 사람들 속으로 돌아가야 하니까요.

혜원은 고추장 수제비와 배추전, 봄꽃을 올린 파스타, 쑥 튀김,

오이채 콩국수를 해 먹고, 직접 발로 깐 밤으로 조림을 만들고 감을 말리죠. 자연 속에서 소박한 요리를 하며 삶을 채워가는 모습이 한없이 평온해 보였죠. 무주를 떠나 대전을 거쳐 서울에 도착한 열차에서 바라본 하늘과 다리와 강물은 온통 푸른빛을 머금고 있었어요. 오랫동안 잠식해 온 불안과 우울이, 아름답지만 찰나인 창밖 풍경 너머 저 먼 우주로 확장해 가는 기분이 들었어요. 그렇게 돌아온 서울은 칼바람이 불었어요.

처음이었던 날들

처음이라 낯선 아픔, 그리고 성장

무 아 상

암, 완치됐습니다
쾌락으로 절제된 사랑

© 무아상

작가 소개 | 무 아 상

말기 암 진단을 받고, 암 수술 후 5년이 지났습니다.

지금은 게으름 피우며 책 읽기, 영화 보기, 산책하기, 뜨개질, 식물

기르기를 하며, 좋아하는 노트와 펜으로 그림 그리고 글쓰기를 즐기게 된

몽상가입니다.

이메일 : juree1103@naver.com

암, 완치됐습니다

1. 병원 가기

언젠가 "만약 내가 암에 걸리면 수술하지 말아야지."라고 생각했던 것이 기억난다. 막상 가족과 친구들, 주위 사람들 때문에 그러지 못했다. 몸이 불편했던 것도 이유다. 하지만 평소 생각하던 대로 되지 않더라도 미리 생각해 놔야 한다.

일하는 곳에 채용 신체 검사서를 제출하기 위해 가는 것을 제외하면 병원은 거의 가지 않는다. 건강보험공단에서 무료로 하는 검진도 처음에 한 번 받아본 후 가지 않았다.

감기만 걸려도 병원에 가서 주사를 맞고 오는 사람이 많지만, 독감에 걸려도 약 대신 생강차를 끓여 마신다. 배탈이 나도 약 먹고 배를 따뜻하게 하고 견딘다. 초등학교 때 단체 주사는 무서워

맞지 않았고, 벌레는 물론 동물이나 고기도 잘 만지지 못한다. 어릴 때부터 몸이 약하긴 했지만, 성인병은 전혀 없었고 흔한 암보험도 들지 않았다.

수술이란 생각할 수 없는 일이었다. 병원에 입원하는 일은 드라마에서나 일어나는 일이었다.

*

나는 늘 현실적이지 못했다. 그러다 그해 연초에는 현실적으로 살기로 했다. 지치기도 했고, 몸도 마음도 너무 나이가 들었다. 이상이나 꿈은 소용없고, 이젠 남들처럼 남은 생을 연금 챙겨보고 생활비를 계산하며 현실적으로 살자고 했던 그해. 그럼 잘 살 수 있을 것 같았던 때였다. 여름 시작쯤부터 이상이 있었지만, 일하러 가던 곳에 시간 낸다고 말하지 못하고 여름방학 직전까지 겨우 기다렸다.

*

누워서 잠도 잘 수 없었다. 오래 걷지 못하고 의자에 쉬어가며 걸었다. 갑자기 배가 자꾸 나와서 주위 사람들이 병원에 가보라고 재촉했다. 밥은 먹지 않고 마늘, 토마토 같은 것만 겨우 먹었다. 병원에 가지 않으려고 집 앞 한의원도 가봤으나 소용이 없었다. 이유를 알 수 없어 답답했다. 원인을 모르니 머리가 복잡했다.

동네 병원에서 사진을 찍었는데, 큰 병원에 가보라고 했다.

큰 병원에 갔다. 동네 병원에서 찍은 사진을 복사해서 기계에 저장하고, 담당 의사를 만나기 전에 초진을 보는 의사를 만나야 했다. 병원 가기 싫은 이유 중 하나인 검사도 찾아다니며 했다. 한참을 기다려야 순서가 올 정도로 사람이 많았는데, 지금 기억에는 사람들이 없었던 것처럼 빈 곳이거나 그 사람들이 유령처럼 느껴질 정도로 비현실적이고 낯설었다.

처음 간호사가 예약해 준 담당 의사가 있는 방에 겨우 갔다. 담당 의사는 암이라면서, 암 전문 의사에게 연결해 주었다.

*

암 전문 의사에게 "암이 아니고, 제가 최근 수지침을 해서 그런 거 아닐까요?"라고 물었지만, 의사는 내 말이 끝나기도 전에 단호하게 "아니!"라고 했다. 나는 "종양이 이렇게 큰데, 암이라면 내가 이렇게 멀쩡할 리가 없다."고 말했다. 의사는 사진을 보여주며 "열어보면 온통 시커멓게 전이됐을 거다."라며 말기 암이라고 했다. 당사자에게 숨기거나 위로를 바랐던 건 절대 아니지만, 좀 폭력적으로 느껴지는 공격적인 말투다. 그때 알아봤어야 했다!
의사는 곧 수술해야 한다며, 옆 방으로 가서 안내받으라고 했다.

안내해 주는 분은 수술 전 검사를 받기 위해 입원해야 하지만, 지금은 빈 병실이 없고 병실이 나면 전화를 줄 테니 집에서 기다리라고 했다. 일주일 정도 걸릴 거라고 했다.

*

무척 바빴다. 몇 군데 시간제로 일하던 곳에, 수술 이야기를 하고 대체할 강사를 구해주고 일에 지장이 없이 처리했다.

생소한 병에 대해 인터넷에서 치료법과 사례, 자연치유 강의도 들었다. 의사도 포기한 말기 암 환자가 완치된 사례도 찾아봤다. 심리 조절, 기도, 명상도 했다. 명상은 누군가 암을 깨끗이 씻어주듯 치료해 주는 상상을 주로 했다.

무엇보다 짐 정리가 문제였다. 다시 집에 올 수 없을지도 모른다고 생각하니, 짐들을 정리해야 했다. 엄마가 돌아가시고 짐 정리를 해봤다, 그렇게 가족 누군가가 내 짐을 정리할 것을 생각하니, 마음이 급했다.

취미도 많고, 정리와 버리는 것을 못 하는 성격에, 그동안 심리적으로 힘들었던 탓도 있다. 엄마가 돌아가시고 그 집을 급하게 정리해야 해서 일단 내가 사는 집으로 들여놓은 것까지. 집에 짐이 많았다. 컴퓨터와 이메일도 정리했다. 일주일도 안 되는 사이에 정리가 안 되었던 삶을 다 정리하자니 마음이 심란했다. 그나마 남은 짐 정리는 검사 후 퇴원하고, 수술 전에 시간이 좀 있을 것으로 생각하며 마음을 다독였다.

전화를 받게 될까 봐 두려웠던 것은 처음이다. 아직 수술할 결심도 못 했는데, 전화 받고 입원하면 수술이 결정될 것 같았다. 하지만 일단 검사라도 해서 사실을 명확히 하는 게 나을 것 같다.

몇 년 전 갑상선암 수술을 한 친구에게 전화를 걸어 입원하려면 무엇이 필요한지 물어보았다. 친구는 몇 가지 가르쳐 주고 베개와 이불을 가져가야 한다고 했다. 입원해 본 적은 없지만 TV나 병문안 가서 병실을 본 적은 있다. 개인 침구는 본 적이 없었다.

"그건 병원에서 주지 않냐? 무슨 이불하고 베개를 가져가?"라고 어이가 없어서 물었다.

"그런가…? 언니가 그냥 가져온 거였었나…!"하며 친구는 말끝을 흐렸다.

알록달록한 이불과 베개가 있는 입원실과 내 이불 중 무엇을 가져가야 하나…, 등 말도 안 되는 장면이 빠르게 스쳐 가는 걸 지우며,

나는 자신 있게 말했다. "그럼, 그건 아니다."

예정보다 빨리 전화가 왔다. 병원을 다녀온 후 5일 만에 입원했다. 떨리는 마음을 가라앉히며 무엇을 준비해 가야 하는지 물었다. 간호사는 세면도구 외 준비물을 이야기했다. 모두 수긍 가는 것들이었다. 마지막으로 잠시 말을 끊더니 강조하듯 말했다.

"…그리고 침구요!"

"침구요?" 나는 놀라 되물었다.

"침구가 아니고 친구요. 친구. 여자 친구…. 혼자 오지 마시고 친구하고 오세요."

2. 입원하러 가는 길

그동안 일하러도 나갔었고 검사받을 때도 다녔는데, 새삼 택시 타고 가는 것은 환자 행세를 하는 것 같아 혼자 전철을 타고 갔다. 평소 사람이 없는 시간대에 전철을 타던 터라 그날도 그러려니 했는데 타고 보니 자리가 없었다.

조금 서 있다가 허리가 아파지기 시작했다. 서 있을 수가 없어서 임산부석에 앉았다. 사람들이 더 타기 시작했다. 내 앞에 임산부가 섰다. 자리를 비켜줘야 하지만 일어나지 못하고 있었다. 앞에 서 있던 세련되고 똑똑하게 생긴 여자가 나에게 계속 눈을 맞추며 눈짓했다.

"얼른 일어나서 자리 비켜줘야지!"라고 하는 듯했다.

내가 욕먹어도 어쩔 수 없으니 옆 사람이라도 자리를 좀 비켜주면 안 되나? 속으로 생각했다. 나는 중간에 내려서 의자에 앉아 쉬었다가 다른 열차를 탔다.

아는 사람이 고3 담임이다. 그 선생님은 새 학기가 되어 맡은 반에 형편이 어려운 기초생활수급자 가정이지만, 전교 1등 하는 학생이 있다고 했다. "전국 석차도 올려야 하는데, 과외라도 좀 시키면 성적이 오를 텐데."라며 신경 쓰는 듯 보였다. 그런데 몇 달 후 그 아이가 암에 걸렸다고 했다. 그 선생님을 만날 때마다 제자에 관해 물어보았다. 수술하고 항암치료를 받는다고 했다. 병원 가는 날은 아침에 학교 안 와도 되는데, 학교에 들렀다가 간다고 했다.(나중에 휴학했지만.) 병원은 혼자 다녔고 집에 갈 때도 대중교통을 이용한다고 했다. 승용차를 타고 가도 항암치료를 받고 오는 길은 힘들다. 10대 후반 남자아이라 힘들어도 앉을 곳도 없을 텐데. 내가 병원 가던 날이 생각났다.

*

요일별로 진료하는 의사가 다르다. 처음 병원에 갈 때 내가 쉬는 요일에 갔더니, 암 전문 의사도 같은 요일로 잡아 주었다. 집에 와서 찾아보니 '일인자'라고 하는 암 전문의는 내가 일하는 요일에 진료를 봤다. 그래봐야 1, 2주만 기다리면 내가 일하는 곳이 쉬기 때문에 일인자 의사에게 진료받을 수 있었다. 나에게 연결된 의사는 '이인자'였는데 처음 병원 갈 때만 해도 수술할 생각까지 못 해서 그냥 진료받았다. 의사의 태도도 마음에 들지 않아서 몇 차례 고민했다. 중간에 바꾸려면 바꿀 수도 있었는데, "우리나라에서 최고의 수재가 있는 병원인데, 일인자나 이인자나 잘하겠지."라고 생각하며 의사를 바꾸지 않았다.

암은 원인이나 치료법 등 아직 밝혀지지 않은 부분이 많다. 완벽한 치료를 바라지는 않았다. 최고의 수재가 최선의 노력을 다했기만을 바랐다. 나도 병이 회복된다면 내가 하는 일에 완벽은 못 해도 최선을 다해야겠다고 생각했다.

3. 수술

친구나 친지 등 여러 사람에게 알리고 부르기 싫었지만, 검사할 때부터 친구를 불렀다. 내가 혼자 할 수 없는 일이 있으면 간호사에게 부탁하는 것이 눈치 보였다.

입원해서 검사하고 퇴원 후 수술 날짜를 받아 다시 입원하기로 되어 있었다. PET 검사 사진에는 암이 전이된 것이 보이지 않았다. "그것 보세요. 전이 안 됐잖아요."라고 나는 말했지만, "종양에 가려서 안 보이는 걸 거다."라고 의사는 망설이지 않고 말했다.

전이된 것은 안 보였지만, 멀리 떨어진 폐에서도 이상한 것이 나왔다. 의사는 수술 차례를 기다리기에는 급한 상황이니 이틀 후 특별히 새벽에 시간을 내어 수술해 준다며, 퇴원시키지 않았다.

수술 전날 태블릿 컴퓨터를 내밀며 사인하라고 했다. 자세한 설명은 없었다. 무엇을 수술할 거냐고 했더니, 폐는 일단 놔두기로 했고, 근처 장기들과 림프…, 등을 쭉 대며 전이되기 쉬운 곳들이라 떼야 할 거라고 했다. 나는 어이가 없었지만, 전이가 안 된 것을 마음속으로 확신하며, "최악의 상황을 이야기하는 거겠지. 열어서 전이 안 됐으면 안 떼 내겠지."라고 마음속으로만 생각했다. 분명히 이야기 해야 했다. "이상이 없는 곳은 놔두시라고…!"

수술은 가족과 친구들 앞에서 적어도 12시간 이상 걸릴 거라고 했다. 수술하는 날 새벽 눈을 뜨자마자 보니 친구가 벌써 와서 앉아 있었다.

수술하러 갈 때 침대는 스테인리스 같았다. 드라마에서 보던 수술실 문이 닫히고 바퀴 달린 침대를 이리저리 옮기는 듯했다. 마치 통조림 공장에 있는 기분이었다. 주변을 보고 싶었던 것이 기억나는데 보지 못했다. 지금도 궁금한데 그때 내 시야가 왜 좁아져 있었는지 잘 모르겠다. 수술은 예상과 달리 빨리 끝났다. 나는 시간 감각이 없었지만 2시간 좀 넘게 걸렸던 것 같다.

병원에 종교시설이 있어 기도하는 곳이 있다고 한다. 그곳에서 12시간 이상 기다리며 기도하려던 친구는 내 가족을 위로하다가 내가 빨리 나오자 당황했다. 전이가 많이 되면 수술하지 못하고 열었던 것을 그냥 닫는 예도 있다던데 그런 줄 알았다고 한다. 중환자라며 게시판에 안내된 간병인을 불렀다.

"넌 피 주머니도 안 달고 나왔냐?"라고 친구는 이상하다는 듯 물었다.

"그게 뭔데?"

배가 약간 아픈 것 빼고는 괜찮았고 마취도 풀려가고 있었다. 가족, 친구들과 몇 마디 나누고 누워 있었는데 침대 커튼이 걷히고 여러 명의 의사가 들어와 양옆으로 줄을 섰다. 나도 몇 가지 궁금하던 차에 눈을 겨우 뜨고 보니, 수술한 의사가 가운데로 걸어와 서더니, 마치 국회의원 선거 운동이라도 하는 듯한 구호를 외쳤다.

"수술은 성공적으로 끝났습니다! 아~주 깨~끗했습니다! 제가 환자를 꼭 완치시키겠습니다!"라며 구호를 외쳤다.

다시 눈을 감고 있다가 나도 모르게 눈을 동그랗게 뜨고 상황을 쳐다봤다. 군인들처럼 의사들이 줄 서서 나갔다.

의사 회진 시간이 있었지만, 그 후로 주도하는 담당 의사는 한 번도 병실을 돌지 않았다. 주치의도 오지 않았다. 일인자 의사의 환자들과 같은 병실에 있었는데, 일인자 의사는 달랐다. 가장 환자가 많다는데, 회진 시간마다 와서 한 명씩 자상하게 살펴보고 대화를 나누고 설명했다.

4. 수술보다 무섭다는 항암치료

수술하고 나면 뭔가 주렁주렁 달고 나온다는데 그런 것도 필요 없이 깨끗하게 수술이 잘 끝나고 마취제 부작용도 없었다. 하지만 의사는 퇴원 후 2주 후에 항암치료를 받아야 한다고 했다. 나는 "안 받겠다."고 했다. 주치의는 인상을 쓰며 화를 냈다.

"전이는 안 됐지만 보이지 않는 암세포가 많이 퍼져 있다. 항암치료 안 받으면 수술하나 마납니다. 꼭 받아야 합니다."라며 눈썹을 꿈틀댔다. 수술 주도 했던 의사는 "요즘은 항암치료 받아도 구토 증상은 약을 먹으면 되니 괜찮아." 한마디였다. 항암 부작용은 말 안 하고, 구토 증세에 대한 설명만으로 아무 문제가 없다고 일괄해서 말했다.

가족과 친구들은 의사가 시키는 대로 하자고 했다.

친구는 퇴원 후 자기가 돌볼 요량으로 자기네 집에서 가까운 곳에 있는 암 환자를 위한 요양병원을 알아보았다. 나는 요양병원에 제출할 소견서를 보고서야 전이되지 않은 장기들과 복막, 림프 등을 뗀 것을 알았다. 따지고 싸울 힘도 없지만 소용도 없는 일이라 아무 말도 하지 않았다.

　요양병원이 다 그런 것은 아니지만 주변에서 들으니 "보험 장사"라고 부르는 병원이 있다고 한다. 암보험을 들면 병원 치료비가 무료이니 처음부터 몇천만 원씩 카드 결제를 시킨다. 입원 후에도 검증되지 않은 여러 치료를 받으라며 끊임없이 스트레스를 준다고 한다.
　친구가 알아본 요양병원에 전화해서 물어보니 암보험을 안 들었어도, 공단에서 50% 지원해 준다고 했다. 다른 치료들도 받아야 하냐고 물으니 "그럼, 받아야죠."고 했다. 친구는 뷔페 음식이 차려진 공기 좋은 산에서 쉴 기회라고 했지만, 가지 않았다. 항암치료를 받게 되면 그때 가기로 했다.

*

　퇴원하고 2주 후에 다시 입원했다. 항암치료 전날 입원해서 다시 검사 후, 다음 날 12시경에 항암 주사를 맞고 퇴원하기로 되어 있었다. 항암치료에 관한 교육도 받았다. 가족이 잠시 자리를 비운 사이, 주치의인 젊은 여의사가 와서 사인하라고 했다.(수술을 주도한 나이 많은 의사는 변하지 않지만, 젊은 주치의는 바뀐다.)

무슨 약인지 물어봤다. 묻지 않았으면 또 그냥 사인만 받고 갈 태세였다. 빠르게 외국어로 된 약 이름을 두 가지 말하고 나서야 두 가지 항암 주사를 맞을 예정이라는 걸 알았다. 약 이름은 어려워서 기억이 안 난다. 보험 적용은 안 되는 것이라고 했다. 그동안 인터넷에서 항암제에 대해 찾아본 바로는 의료보험이 안 되는 것은 비용도 비싸지만, 약효가 인증되지 않은 것이라고 했다. 병원 측에서 자세한 설명은 없었다.

"그 항암제 약효가 나에게 있었는지 없었는지, 어떻게 알 수 있느냐?"라고 물었다.

"재발하면 약효가 없는 거죠." 의사가 말했다.

"재발을 안 하면 약효가 있었는지 없었는지 모르지만, 재발했을 때만 약효가 없었다는 걸 알 수 있을 뿐이라는 말씀이네요?"

"네 그렇죠."

"약 이름이 뭐라고 하셨죠?"

그전까지 나를 똑바로 바라보며 당당하고 위압적이던 의사는 그때부터 내 눈을 피하며 어색한 웃음소리를 내기 시작했다.

"하하, 아까 말씀드렸는데, 000하고 000. 하하하!"

"몇 번을 더 맞아야 하죠?"

"세 차례 맞으시고 부작용 있으면 다른 걸로 바꾸든가 하고 세 차례씩을 세 번, 기본으로 아홉 차례는 적어도 더 맞으셔야 해요."

나는 몇 가지 더 물어보며 항암치료 받고 싶지 않다는 의사도 다시 전했다. 불쌍한 척도 했다.

"일은 하러 갈 수 있을까요? 아! 머리가 빠지면 어차피 안 되겠네."

그래도 항암치료에 대한 사인은 했고, 기다렸다.

12시가 넘어가는데, 간호사가 뭔가 처치를 해주고 가면서,

"회의가 있어서 좀 늦어지니 기다리시래요."라고 했다.

점심 먹고 또 기다렸다. 간호사가 몇 차례 더 기다리라고 했다. 오후가 5시가 넘어 의사가 왔다.

"회의했는데, 항암치료 안 받으셔도 되겠어요. 하하하. 선생님이 잘 못 보셨나 봐요. 하하. 수술 후 몸무게도 너무 빠지셨고. 하하. 괜히 입원하셨네요…. 하하."

평소와 달리 눈을 마주치지 않고 어색하고 두서없이 말했다.

나는 뭘 잘못 봤다는 건지 따지고 싶었지만, 항암치료를 안 받고 나간다는 것에 다행이다 싶어, 감사하다고 하며 오후 6시경에 서둘러 퇴원했다.

5. 퇴원 후

수술이 끝나고 집에 오니 편안했다. 배에는 아직 호치키스가 철도 길처럼 찍혀 있고 소독도 해야 했지만, 오로지 몸에만 신경을 썼던

적이 없다가 집중을 하니 몸이 안락함을 느끼는 것 같다. 평소에 왜 신경을 못 썼는지. 이제부터는 몸에 신경을 써야겠다.

동네를 조금씩 걸어 다녔다. 암 환자는 먹는 것도 중요하지만 운동도 해야 하고, 햇빛도 봐야 한다. 태양이 큰 보석처럼 보였다. 매일 보던 태양이지만 하늘에 보석 같은 것이 떠 있는 줄 몰랐다. 살아있는 게 신기하고, 과거의 내 모습이 영화를 보듯 다른 사람처럼 떠오르기도 했다.

죽음에 대해 실감도 나고 받아들이게도 되었다. 수술은 잘 되었고, 암 재발이 안 되게 할 자신도 있었지만 폐까지 안 좋으니 언제 죽을지 모른다는 생각이 가끔 든다. 다시 살아서 다니고 있는 것만으로도 기적 같고 신기하고 감사했지만, 한편 갑자기 우울해지고 손가락 하나도 움직이지 못할 정도로 무기력해질 때도 있다.

*

폐는 병원에서 검진 날짜와 담당 의사를 따로 잡아 주었다. 병원에서 제일인자라고 불리는 의사는 아니었다. 만약 폐도 치료를 해야 한다면 일인자를 찾아가고, 다른 병원도 가보리라 생각했다. 그래도 검진 날짜에 일단은 갔다. 일주일 전에 사진도 다시 찍었다.

여의사는 "암이 확실하다."라고 말했다.

"PET 검사에 이상소견이 나왔을 때 폐 전문 의사들이 와서 뭔지 잘 모르겠다고 했었는데요."라고 했지만, 여의사는 암을 확신했다. "한 군데도 아니고 여러 곳에 있어서 수술을 하기는 폐가 아까우니, 검사하다가 커지면 치료계획을 세우자."고 했다. 무슨 종류인지 물었더니, '선암'이라고 이름까지 구체적으로 말했다.

수술받은 곳도 정기적으로 CT를 찍어야 하니, 너무 자주 찍을 수 없어서, 폐는 1년에 한 번씩만 검사하기로 했다. 1년 후에 CT 검사를 받고 변화가 없었다. 그 후, 코로나19가 돌아서 병원에 검사하러 가지 않았다.

4년 정도가 흐른 겨울, 폐가 아파 걱정되기 시작했다. 병원을 예약하려니 코로나19가 사그라드는 시기라 호흡기 병원 쪽에 대기 인원이 많아 한참 기다려야 했다. 의사는 "왜 이제야 왔냐?"고 했다. 폐 여러 곳에 암이 있어 걱정된다고 했다. 보통 이 정도 시간이 흐르면 커지는데, 다행히 그동안 변화는 없다고 한다.

6. 돌아보며

지금은 5년이 넘어 수술한 곳은 완치되었고, 폐는 5년 넘게 변화가 없다. 나의 경우 수술이 잘 됐고 예후가 좋았지만, 주변에 암으로 돌아가신 분이 있고, 같은 병실에 있던 암 환자들을 보며 암이 얼마나 힘든 병인지 안다. 수술, 항암, 방사능. 새로 나왔다지만 아직 인증은 안된 치료 등 이것저것 다 해봐도 속수무책이고, 그래도 뭔가 할 것이라도 있으면 감사하게 여기라는 것이 암이다. 진통제와 나중엔 마약을 다 써도 통증에 시달린다.

수술이 끝나고 주변에서 가족이나 본인이 암 판정을 받았다며 걱정하거나 상의를 해오는 경우가 많아졌다. 암이라 해도 상황에 따라 다르니, 무조건 나처럼 항암치료를 받지 말라고 할 수는 없다. 나는 항암치료를 받지 않은 것이 무척 다행이라고 생각한다고 말하지만, 나보다 가벼운 경우도 대부분 병원에서 시키는 대로 항암, 방사능 치료를 여러 차례 받는다.

가장 후회되는 건 수술 전에 이상 없는 장기나 림프관, 복막 등은 떼지 말라고 분명하게 말하지 않은 것이다. 그리고 좀 더 자세히 설명하고 내 의견을 반영해 주는 의사를 찾아가서 수술하지 않은 것이다.

어쩌다 시내에 나가 수술한 병원 앞을 지날 때, 오진으로 암이 아닌데 내장을 말도 없이 추출하고 치료도 여러 가지 당했다며, 억울하다고 커다란 패널에 자극적인 글씨를 써 붙이고 시위하는 사람을 가끔 본다. 그런 걸 보면 시내 한복판에 길도 복잡하고 지저분하다고 짜증 나지 않는다. 그렇다고 의사들에 대해 분노를 느끼는 것도 아니다.

의사라고 다 좋은 사람도 아니고 다 나쁜 사람도 아니다. 좋은 의사라도 최선을 다하지만 실수할 때가 있고 판단이 항상 완벽할 수도 없다. 다만 그것이 얼마나 슬픈 일인지 안다.

죽음이나 큰 병은 예고 없이 닥칠 때가 많다. 시간도 없고 당황스러운 상황에서 판단해야 할 일이 많다. 미리 지식도 쌓고, 그에 따라 가치관도 세워두면 좋다. 갑자기 가족이나 본인이 암 판정을 받는다면 – 방심할 일도 아니지만 – 절망하거나 감정에 휘둘리면 판단이 흐려진다.

병원에서의 경험은 나의 개인적 인상이었을 수 있다. 단지 의사의 성격이 무뚝뚝했을 뿐, 과잉 치료를 하고 수술을 잘했기 때문에 재발을 안 했는지도 모른다. 처음부터 암이 아니었는지, 운이 좋았는지, 기도 효험 덕분인지도 모른다.

단지 내가 다시 수술을 한다면 환자와 의사가 함께 팀을 이뤄서 치료해 나가는 분위기였으면 좋겠다.

환자로서 수술하고 병을 치료해 주는 의사의 말을 반대하고 거절하는 것도 쉽지 않다. 하지만 환자가 의사에게 무조건 맡기고 의존하기 보다는 주체적으로 공부하고 의사와 상의하고 물어보며 의견도 말해야 한다.

암은 철저하게 치료해야 하지만 돌이킬 수 없는 수술이나

치료계획은 환자에게 설명해야 하고, 몸에 관한 판단은 환자 본인의 의사(意思)도 고려 되어야 한다.

*

수술할 때 짐을 많이 버렸는데 시간이 흐르니 어느새 또 쌓였다. 수술하기 전보다는 자연식품을 먹지만, 다시 즉석 음식과 불량 식품도 먹고, 살아있는 것에 대한 감사와 경이로움도 차츰 흐려지고 짜증도 내며 산다. 하지만 죽음의 앞까지 간 경험을 하고 가끔 죽음이 언제 올지 모른다는 생각을 실감 나게 하니, 하루하루가 새롭게 느껴질 때도 있고, 삶에서 중요한 것들도 바뀌며 잡념도 좀 사라졌다. 가치관도 변하며 여러 면에서 성장하게 된 면도 많다. 아픈 만큼 성장하나 보다.

(※ 이 글은 개인적 체험을 주관적 입장에서 쓴 글입니다. 전문 분야 의사 선생님들이 오해받지 않도록 무슨 암인지 밝히지 않았습니다.)

쾌락으로 절제된 사랑

[영화 "연인" 리뷰]

<봄을 기억하는 겨울나무>

영화 <연인>은 프랑스의 소설가 '마르그리트 뒤라스'의 자서전적 소설이 원작이다. 배경은 1920년대. 후반 프랑스의 식민지였던 베트남이다.

영화는 할머니가 파리에서 옛날을 회상하며 만년필로 글을 쓰는 모습으로 시작한다.

"내 삶은 어렸을 때 이미 늦어(late) 버렸다. 열여덟에 이미 늙어 버렸다…. (중략)

나이가 드는 건 잔인하다. 세월이 지나면서 외모는 차차 일그러졌지만 겁먹기보다 마치 책 읽는 것처럼 변해가는 얼굴을, 흥미를 갖고 지켜보았다. 나이 든 내 얼굴은, 윤곽은 그대로였지만 볼품이 없어졌다. 내 얼굴은 망가졌다."

<불행한 가정>

주인공 소녀는 당시 프랑스 식민지였던 베트남에 사는 백인(프랑스인)이다. 아버지는 돌아가셨고, 엄마와 오빠, 남동생과 살고 있다. 소녀의 가정은 불행했다. 엄마는 아빠가 물려준 재산을 사기꾼에게 날려 가난했고 무기력했다. 엄마는 큰오빠만 편애했다. 큰오빠는 폭력적이고 마약을 하느라 돈까지 훔쳤다.

엄마가 이야기하듯 *"항상 너무 심각했고 오랫동안 기쁨을 잊었다. 감정을 드러내지 않는 게 우리의 습관이 되었다."* 집은 악몽같고, 슬픔, 가난, 수치, 공포, 비열하고 끔찍하고 견디기 힘든 곳이었다. 소녀는 늘 조금 슬펐다. 그녀의 오래된 연인은 슬픔이었다,

<첫사랑>

15살 반 나이의 소녀는 방학이 끝나 기숙사로 돌아가기 위해 메콩강을 건너는 배를 탄다. 가슴과 등이 깊이 파인 헐렁한 낡은 원피스에 중절모, 낡은 댄스 구두에 립스틱을 비뚤게 바르고 배 난간에 기대서 있다. 황량한 환경에서도 이제 시작되는 자신의 색깔을 표현하려는 듯하다.

운전기사가 딸린 검정 리무진이 배에 비집고 들어온다. 흰색 정장을 입은 중국인 남자가 차에서 내린다. 그는 소녀에게 다가와 긴장한 모습으로 말을 건넨다.

중국인 남자의 제안에 소녀는 배에서 내린 후 기숙사까지 그의

차를 타고 간다. 중국인은 대부호의 아들이다. 며칠 후 남자는 시내에 있는 '독신자의 방'으로 그녀를 데려간다. 남자는 소녀를 좋아하고 아직 어려서 망설이지만, 소녀는 남자에게 '다른 여자에게 하듯이' 해달라고 한다. 결혼으로 이어지기가 어려울 것 같지만 소녀는 쿨한 척한다. 둘은 그 후 일여 년 육체적 쾌락을 즐긴다.

중국인은 소녀의 가족을 만난다. 가족 앞에서 소녀의 행동은 달라진다. 가족 앞에서 그는 아무것도 아닌 물주일 뿐이고, 단지 돈 때문에 만나는 것이다. 수치스럽고 숨겨야 하는 존재다. 소녀가 그를 사랑하고 있다는 것을 눈치채게 해서는 안 된다.

가족에게 자신의 진정성을 들킨다면 그녀의 사랑은 조롱과 유치함으로 전락할 것 같다. 엄마는 돈이 필요해 둘의 관계를 묵인하면서도 어떤 날은 그녀를 때리기도 한다. 학교에서는 돈 많은 중국인 남자를 만난다고 소문이 나며 따돌림당한다.

가족에게는 물론이고, 중국인 남자에게도 돈과 육체적 쾌락 때문에 만나는 것처럼, 스스로에게도 쾌락을 즐기는 것뿐인 양 소녀는 행동한다. 하지만 소녀와 남자는 '연인'이었다.

중국 남자는 정혼녀와 결혼하고, 소녀는 프랑스로 떠나야 한다. 프랑스로 떠나는 배를 타고, 처음 만났던 때처럼 난간에 기대서 있던 그녀는 저 멀리 검정 리무진에 미동도 없이 앉아 있는 옛 애인의 형체를 본다. 차가 안 보일 만큼 멀어졌을 때 배 안에서 피아노 소리(쇼팽의 왈츠 10번)가 들린다. 무엇엔가 홀린 듯 그 소리를 따라 지하로 내려가던 소녀는 오열한다.

소녀는 그 남자를 사랑하고 있었다.

<쾌락만 허용되는 남자>

33살, 남자는 소녀를 사랑한다. 소녀와 결혼하기엔 중국 관습과 맞지 않고, 이미 집안에서 정한 정혼녀가 있다. 아버지는 그에게 시내에 독신남의 방과 가구, 자동차, 돈, 여자…, 등 욕망과 쾌락을 마음껏 누리도록 해준다. 그는 시간도 많아서 사랑만 한다. 하지만 허락되지 않는 하나가 있다. 진실한 사랑과 결혼하는 것.

남자는 아버지에게 소녀와의 결혼을 청해 보지만, 그의 아버지는 그가 정혼녀와 결혼하지 않고 소녀와 결혼한다면 한 푼도 주지 않겠다고 한다. 그는 아버지를 떠나지 못한다. 사랑을 지킬 힘이 없다.

남자는 처음부터 소녀가 좋았다. 그녀가 자기를 따라온 것이 돈 때문이 아니기를 바랐다.(하지만 그는 돈 때문에 사랑을 떠나야 했다.) 조금 지나서는 그녀를 사랑하는 게 외롭다고 울면서 말한다. 마지막 밤에는 그녀를 지우지 못할 것 같아서, "자기를 만나는 것은 돈과 쾌락 때문이었다."라고 그녀에게 말해달라고 한다.

<쾌락이 아닌 사랑>

　영화의 마지막은 다시 처음 장면으로 돌아가 할머니가 회상하며 글을 쓰고 있다.

　중국 남자는 그녀에게 전화했다. 그녀가 글을 쓰는 작가가 된 것과 결혼하고 아이도 낳고 이혼한 것. 남동생이 죽은 것을 알고 있었다.

　"예전에 그랬듯

　그때처럼 지금도 사랑하고 있다고

　죽을 때까지

　*사랑을 멈추지 않을 것이다. "*라고 말했다.

*

　어떤 가정은 절대로 말하지 않는 이야기가 있다. 극복하지 못한 불행에 대해 말하는 것은 암묵적인 금기다. 불행이란 희망, 사랑, 소중함, 진실함, 기쁨…, 그런 것에 대한 좌절이다. 그런 것을 모두 포기해야 한다. 부정적 감정을 억누르면, 다른 감정도 느끼지 못한다. 불행한 가정은 진실은 이야기하지 않고 거짓 자아(ego)로 서로를 대한다. 거짓 자아로만 살아온 가족에게 진정성을 내보인다는 것은 발가벗은 모습을 보이는 것처럼 수치스럽다. 진실한 자기(self)의 모습을 드러내서 비웃고 조롱받을 때처럼 상처받는 일도 없다. 사랑하는 것을 느끼지 않고 이야기하지 않는 게 불행을 버티는 힘이다.

불행한 가정에서 자란 사람은 건강한 사랑을 만들어 가는 게 어렵다. 행복을 표현하고 당연하게 받아들일 힘이 없다. 사랑할 때는 두려움도 함께 오는데, 사랑이 두려움을 이기는 데 불리하다.

15살 반. 이른 나이 같지만, 당시 유럽은 좀 빨랐던 걸 고려하면, 이제 막 사랑에 눈뜨기 시작하는 나이다. 내면의 소리를 듣는 순수한 진정성이 있어 특별한 때다. 생명력과 개성이 의도하지 않아도 내면에서부터 꿈틀대며 현실에서 외현화하려 한다. 당황스럽기도 하고 새로운 미래가 기대도 된다.

사랑을 한다는 건, 주변 여건이나 능력 등 잠재된 자신의 약점과 주어진 한계들에 머물 것인지, 세상을 향해 자신의 세계를 펼칠 것인지의 문제가 극복해야 할 과제로 주어진다.

첫사랑을 할 나이에는 가족으로부터 독립도 안 돼 있고, 힘과 능력도 없다. 하지만 무모한 열정이 있어 도약이 가능하다. 그것이 어렵다고 느껴지면 포기하고 시작도 못 한다. 아니면 왜곡된 사랑을 한다.

돈이나 육체적 욕망을, 진실한 사랑인 척하는 경우는 많다. 소녀와 남자가 처음 만나는 날, 하얀 옷을 차려입은 장관 부인이 배에 타는 모습을 본다. 남자는 소녀에서 "저 여자 때문에 젊은 남자가 자살했다면서요?"라고 묻는다. 소녀와 남자가 헤어졌을 때, 소녀는 다시 그 장관 부인과 엇갈려 지나간다. 아마도 장관 부인은 진실한 사랑을 가장해, 젊은 남자에게는 육체적 욕망을, 남편에게서는 부와 권력을 충족했을지도 모른다.

소녀와 남자가 만날 때와 헤어질 때, 장관 부인의 등장은 그들의 사랑을 암시하는 복선이다. 하지만 소녀와 장관 부인은 반대다. 장관 부인은 사랑을 가장해 쾌락을 채우지만, 소녀는 쾌락으로 사랑을 숨긴다. 주변의 시선과 모욕을 견디고, 가족, 남자, 스스로에게조차 진실한 사랑을 부인한다. 이루기 힘든 사랑에 대한 자존심 때문이고 슬프지 않기 위해서다. 진심으로 사랑하는 모습을 보이다가 처절하게 실패한 자기 모습을 보기엔 자존심도 상한다.

쾌락 뒤에 사랑을 감추지 않았다면 장관 부인의 젊은 애인처럼 자살했을지도 모른다. 소녀는 자살하지는 않았지만, 첫사랑과 함께 꽃 피우려던 자신은 그때 시들었다.

소녀와 남자는 둘 다 원가족에서 주는 한계에서 극복하지 못했다.

사랑을 찾지 못하는 사람도 많다. 안락한 삶과 타인의 시선에 눈치를 보며 내면의 소리를 듣지 못한다. 그러니 실패도 없다. 그에 비하면 소녀는 장점이 많다. 동화처럼 결혼으로 이어지지 못한 짧은 첫사랑이었지만, 자기가 좋아하는 것이 무엇인지 안다. 순수하게 올라오는 내면의 소리에 충실하고 개성과 자기만의 색깔이 있다. 관습과 환경의 한계는 극복하지는 못했지만, 받아들이고 남자의 무능함을 원망하거나 판단하지 않는다. 단지 좋아하고 받아들인다. 실패할 것이 보여도 실패할 용기가 있다. 타인의 시선을 견뎌내고 자기가 좋아하는 것을 사랑한다. 환경 때문에 왜곡된 사랑이라 아쉽지만 주체적이다. 그런 자기다움과 주체성은 관능을 제외하고도 소녀의 매력이다.

젊음의 아름답고 건강한 모습은 관능적이지만, 나이가 들면 외모가 변한다. 나이 든 모습은 누군가가 사랑해 줄 것 같지도 않다. 첫사랑을 다시 만나고 후회하는 예도 많다. 젊음이 사라지고 처음처럼 지속되지 못하는 사랑은 많다.

소녀는 어린 시절 불행했고, 첫사랑은 삶에서 이어지지 못했다. 특별한 첫사랑은 과거에 갇히게 하고, 갇힌 과거는 시간을 견디며 나이 들게 한다. 열여덟에 이미 늙어버린 삶이고 정말 나이도 들었다. 하지만 그녀는 불행 속에서도, 젊음이 가도 변함없는 영원한 사랑을 멀리서나마 하고 있다.

삶이 안전하고 안락하기만을 바란다면 주인공은 참다운 사랑을 알지 못했을지도 모른다. 사랑을 현실에서 완전한 모습으로 실현시키지 못하고 돌아갈 수밖에 없었지만, 성장과 사랑을 체험할 수 있었던 삶이다. 실패한 첫사랑은 깨진 유리처럼 돌이킬 수 없고 조각나 있고 상처를 주는 파편이다. 그러나 황량한 삶이었다고 해도 순수한 첫사랑은 삶의 빛나는 조각이다.

커피, 우연을 가장한 필연적 이끌림

민 세 원

ⓒ 민세원

작가 소개 | 민 세 원

스타트업 홍보대행사의 PR AE로 도전 정신을 배우다('03년~'04년)

병원 언론홍보 및 사회공헌 담당자로 나눔의 삶을 깨닫다('04년~'08년)

기업 ESG 담당자로 환경적, 사회적 책임에 관해 고뇌하다('08년~'18년)

기업을 위한 ESG 컨설턴트로 보람과 한계를 느끼다('18년~현재)

영등포의 마을기록가로 사라져가는 것들을 기록으로 남기다('21년~현재)

작가의 꿈을 위해 마음속 이야기를 풀어놓다('23년~현재)

[작품 활동]

도서(공저)_ 2021 마을기록학교(2021년), 영등포의 기억을 심다(2022년),
　　　　　 영등포에 귀 기울이다(2023년)

오디오북(공저)_ 나의 삶이 너의 일상에 스며들면(2023년)

별다방의 추억

"별다방 갈래? 콩다방 갈래?"

"당연히 콩다방이지! 난 별다방 커피는 너무 진해서 도저히 못 먹겠더라."

"그래? 난 그 진한 맛이 좋던데?"

별다방 그리고 콩다방.

요즘은 좀처럼 듣기 힘든 명칭이다. 하지만 20여 년 전만 해도 당대 TOP 2에 해당하는 프랜차이즈 커피숍들의 별칭이자, 커피 애호가들이 부르는 애칭이기도 했다. 어원도 단순하기 그지없다. 브랜드명에 영어단어 'Star'와 'Bean'이 포함되어 있다고 해서 별다방과 콩다방이다.

정확히 언제부터 그랬는지 기억하진 못한다. 90년대 후반 대학에 다니던 시절, 친구들 두 서넛만 모여도 당연하다는 듯 모두 별다방 또는 콩다방으로 발걸음했을 뿐. 지금이야 전국 곳곳에 카페 없는 곳을 찾기가 더 어렵고, 심지어 대도시에서는 거리 한 블록마다 프랜차이즈 커피숍 한 곳은 반드시 자리할 정도로 카페 천국이 되었지만, 그때만 해도 지금과 같지 않았다.

종로의 유서 깊은 '반O(Banj**)'이나 호주머니 사정이 얄팍한 학생들이 모여드는 서식지였던 '민O레영토'가 사람들의 귀에 익은 카페였다고나 할까. 그마저도 유동 인구가 많은 신촌이나 종로에 나가야 볼 수 있을 정도였다. 대부분 'OO 커피숍' 또는 'OO 다방'이란 간판을 단 개인 카페가 동네마다 두어 곳 자리 잡고 있을 뿐이었고, 지금처럼 에스프레소 머신으로 내린 다양한 커피 메뉴나 드립(브루잉) 커피를 찾아보긴 힘들었다.

친구 손에 이끌려 처음으로 별다방을 방문했던 순간이 떠오른다. 건물 내외부가 온통 초록빛으로 물들어 있는 모습 때문인지 벽을 타고 오르는 담쟁이덩굴의 한가운데로 들어가는 느낌이었다. 문을 열자마자 세련된 유니폼과 말솜씨로 손님들을 맞이하는 직원들, 서로를 샐리(Sally) 또는 에디(Eddie)라며 영어 이름으로 부르던 낯선 문화는 신선한 충격 그 자체였다.

그리고 커피를 주문하기 위해서 이어지는 복잡다단한 순서들. 기본적으로 필요한 메뉴명과 컵 크기, 커피 온도를 결정하는 것은 둘째 치고(일례로 아이스 아메리카노 그란데 사이즈), 에스프레소 샷과 시럽을 넣는 횟수를 넘어 생전 들어본 적이 없는 원두의

산지까지 골라야 하는 상황에 이르자 도망가고 싶기만 했다. 그곳으로 인도한 친구의 도움이 아니었다면, 아마 뒤돌아보지 않고 도망나왔을지도 모른다. 당시의 내가 '에스프레소 더블샷이 들어간 웻 카푸치노 톨 사이즈'를 주문하는 지금의 나를 본다면 어떤 생각이 들까?

 하지만 무엇이든지 처음이 어려울 뿐, 두세 번 유사 경험이 쌓이면 그건 곧 습관으로 이어지는 법이다. 대학을 졸업하고, 직장 생활을 하면서 별다방 커피를 마시는 것은 습관이 되었다. 그리고 그건 비단 나뿐만이 아니었다. 한국의 커피산업을 고도로 일궈낸 것은 2~30대의 젊은 여성 소비층이라고 소리 높여 이야기하는 뉴스들이 신문이나 방송을 통해 연일 보도되는 일이 종종 있었던 것을 보면.

 오죽하면 기업들이 밀집한 여의도나 강남 일대로 출근하는 젊은 여성들의 손에 들린 별다방 커피를 일종의 패션 액세서리처럼 여기는 풍조가 생겨났을까. 그래서인지, 2000년대 히트했던 영화 '악마는 프라다를 입는다'에서 주인공 앤디(앤 해서웨이)가 상사인 미란다(메릴 스트립)를 위해 주문한 커피가 식지 않게 별다방 커피를 들고 뉴욕 거리를 달리거나, 한 손엔 별다방 커피를 들고 다른 한 손으로 전화를 받던 모습은 너무도 익숙하게 다가왔던 기억이 있다.

그리고 나도 모르게 형성된 커피 취향 또는 습관은 타인에게도 동일하게 비치는 모양이다. 미국으로 유학이나 여행을 다녀온 지인들에게 받은 선물 중 별다방과 관련된 것들이 종종 있던 것을 보면. 시애틀에 위치한 별다방 1호점에서 사 왔다는 커피잔 세트가 대표적인데, 선물을 받은 처음 얼마간은 아끼면서 썼던 것 같다. 잔 하나는 이미 깨져서 버리고, 나머지 하나는 어디에 있는지조차 지금은 기억이 가물가물하지만 말이다.

시간이 흘러 각종 프랜차이즈 커피숍이 우후죽순 생겨나고, 바리스타란 직업이 급부상하면서 이제는 굳이 노력하지 않아도 전 세계에서 생산되는 각양각색 원두의 커피를 맛볼 수 있는 세상이 되었다. 커피에 대한 지식과 홈 카페로 커피를 즐기는 사람들이 넘쳐나는 요즘, 별다방은 더 이상 예전의 그 유일무이했던 카페가 아니다. 그리고 나 역시 다양한 카페를 접하고, 커피에 대한 정규수업도 들으며, 잠깐이나마 바리스타 실무도 경험해 보는 동안 자연스럽게 별다방을 고집하지 않게 되었다.

그래도 난 가끔 별다방을 찾는다. 더 이상 그때의 별다방도 그때 맛보았던 커피도 아니건만, 이상하게 초록색 담쟁이덩굴 앞에 서고 싶을 때가 있다. 습관성 행동? 마케팅에 의한 관성의 법칙? 그런 거창한 이유까지는 아니다. 그저 별다방이라는 명칭과 함께 자동으로 떠오르는, 커피를 주문하는 일조차 난감해 도망치고 싶었던 순진하기 짝이 없는 그때의 나를 추억하기 위해서인지도 모르겠다.

오늘도 윤동주 님의 시를 떠올리며 별다방의 추억을 소환해 본다.

별 하나에 추억과
별 하나에 커피와
별 하나에
별다방 별다방
그리고 그때의 나

별다방의 추억 ⓒ 민세원

어느 바리스타의 오후

3개월의 바리스타 학교 정규수업을 마친 어느 날, 정말 우연한 계기로 잠깐이나마 바리스타 일을 경험할 기회가 생겼다. 언젠가 꼭 한번 해보고 싶었던 일인지라 첫날은 기대감으로 새벽녘까지 살짝 잠을 설친 것도 같다.

하지만 해보지 못한 새로운 일을 경험할 때마다 찾아오는 두근거림과 설렘, 잘할 수 있을까, 걱정되는 불안감은 첫날부터 나의 뇌에서 방을 빼야만 했다. 적지 않은 메뉴 레시피와 각종 재료의 보관 위치부터 일의 순서와 저마다 다른 도구 사용법까지 서로 먼저 입주하겠다고 나의 전두엽을 향해 앞다투어 달려들었기 때문이다. 인간의 뇌에 한계는 없다고 그 누가 말했던가. 세월 앞에 장사 없다는 말이야말로 명언이라고 한 대 톡 쏘아붙여 주고 싶은 심정이었다.

그리고 이삼 일이 지난 후, 또 다른 명언을 되새김질하게 되었다. 나폴레옹은 옳았다. 정말 내 사전에 불가능한 일은 없더라. 나 홀로 카페를 찾는 손님을 응대하고 주문을 받아 커피와 디저트 메뉴를 만들어야 하는 현실에 부딪치자, 숨어 있던 모든 잠재 능력(?)이 살아났다.

물론 그동안의 사회생활 경험이 큰 도움이 된 것도 사실이다. 내 나름의 업무 매뉴얼을 정리해 잘 보이는 곳에 붙여 반복해 읽고, 출근하자마자 그날의 커피 원두와 디저트 재료, 도구들의 위치와 사용법을 점검한다. 처음 접해 익숙하지 않은 포스기는 이것저것 반복해 눌러보며 손에 익도록 한다. 그리고 가장 중요한 것은 역시 질문하는 자세! 레시피를 봐도 이해가 되지 않거나 일을 하면서 궁금한 점이 생길 때마다 관리자를 통해 수시로 확인하는 것은 확실히 초보 바리스타의 실수를 줄이는 지름길이다.

닷새쯤 접어들자, 모든 것에 익숙해지면서 그제야 이 주변의 풍경들이 눈에 들어온다. 카페 통유리창을 통해 보이는 차량과 행인들의 모습을 바라보다가 그들 중 누군가가 카페로 발걸음을 향할지 어림짐작을 해보는 여유도 생겼다. 일을 하는 시간대가 한낮부터 저녁이 되기 전까지의 오후라서 그런지, 하루의 시작을 커피로 일깨우려는 손님들이 많은 이른 아침에 비해 비교적 수월했던 것도 한몫했다.

바리스타가 되어 일하는 동안, 가장 즐거웠던 일은 카페를 찾은 손님들과 나누는 대화였다. 포스기 입력이 익숙지 않아 버벅거리던 첫날, 시크한 표정으로 전임자의 일 처리 방식을 넌지시 일러주던 단골손님, 떨리는 마음으로 제조한 음료가 맛있다고 함박웃음으로 칭찬해 주던 손님, 일행을 기다리며 카페 인근 마을의 변화 상황을 설명해 주던 이야기꾼 손님까지. 저마다 다른 주제와 화법으로 카페의 오후를 채워주곤 했다.

그중 기억에 남는 손님들은 단연 가족과 함께 카페를 찾는 사람들이다. 연세 지긋한 아버지와 20대 후반으로 보이던 딸이 가장 먼저 떠오른다. 근처에 위치한 코인 빨래방에서 빨래를 돌려놓고 추위를 녹이기 위해 카페를 찾은 부녀였다. 딸이 행여나 감기라도 걸릴지 걱정하며 다정하게 생강차를 권하고 말을 거는 아버지와, 무심한 듯 무뚝뚝하게 단답형으로 대꾸하는 딸의 모습이 인상적이었다. 아마도 그 모습에서 평소 아버지와 나의 모습이 겹쳐 보였기 때문인지도 모르겠다.

중학생으로 보이는 딸과 함께 온 붙임성 좋은 성격의 젊은 엄마 손님도 기억난다. 달콤한 음료가 먹고 싶은 딸과 카페인이나 당분이 많이 들어간 음료는 피하고 싶은 엄마가 티격태격하는 모습이 마치 허물없는 친구 사이처럼 느껴졌다. 위생 마스크 아래로 슬며시 웃음 짓고 있는데, 갑자기 질문이 훅 들어온다.

"초콜릿 음료에도 카페인 성분이 들어있지 않나요? 달기도 많이 달고."

"하, 하하... 아무래도 그렇겠죠?"

"그렇죠? 얘, 거봐! 커피나 초콜릿 음료 말고 몸에 좋은 것 좀 마셔."

"아이, 엄마는 참 그럼 맛이 없잖아!"

이럴 땐 중학생 딸을 달래며 엄마 편을 슬그머니 들어주는 것이 상책이다. 나 역시 비슷한 또래의 아이를 키우는 엄마인 이유도 있지만, 자본주의 사회에서 최종 결정권한은 지갑을 여는 사람에게 있는 법이다. 나름 타협점을 찾은 후 카페를 나서는 모녀 손님의 뒷모습을 보며, 문득 멀리 떨어져 사는 예쁜 조카딸 생각이 났다. 언젠가 저렇게 커서 나와 티격태격하며 물건을 고를 날이 오겠지.

날이 저물어가면서 오후 영업을 끝낼 때쯤 카페를 찾은 아들과 어머니 손님도 있었다. 키가 어머니보다 훌쩍 큰 잘생긴 청년과 중년의 어머니였는데, 어머니가 드실 음료를 신경 쓰며 주문하는 모습이 참 훈훈해 보였다. 그리고 그 훈훈함이 겉모습만이 아닌 속마음에서 우러난 진실함이라는 것을 깨닫기까지는 오랜 시간이 필요하지 않았다. 모자의 다정한 모습을 흐뭇하게 바라보던 내가 청년이 주문한 찬 음료를 따뜻한 음료로 내주는 어이없는 실수를 저지른 것이다.

"아들, 아이스 아메리카노 주문하지 않았어? 우리 애는 아이스 커피 아니면 잘 마시지 않는데."

"어머, 죄송합니다. 잠시만 기다려주시면 다시 만들어 드릴게요!"

"아닙니다. 그냥 주세요. 날도 추운데 따뜻한 커피 마시면 몸도 따뜻해지고 좋죠."

퇴근 시간을 앞둔 나를 배려하면서 괜찮다고 신경 쓰지 말라며 환한 웃음으로 인사하는 청년이 빛나 보였음은 두말할 필요가 없다. 덤으로 내 아이도 저렇게 다른 사람을 배려하는 멋진 청년으로 자랐으면 좋겠다는 생각이 드는 게 당연할 정도였다.

개인 사정으로 더 이상 바리스타 일을 하지 않게 된 지금이지만, 바리스타로 보내던 그 카페의 오후가 이따금 떠오른다. 각박한 세상살이 속에서도 타인을 통해 이해와 배려, 사람과 사람 사이 관계의 소중함을 깨달을 수 있었던 잔잔한 시간이자, 바쁜 하루를 보람으로 마무리하던 그 시간이 그립기 때문일 것이다.

해가 질 무렵 어둠이 어슴푸레 깔리기 시작하는 때를 프랑스 속담으로 '개와 늑대의 시간'이라고 한다지. 저 멀리서 다가오는 개가 내가 키우는 개인지 나를 공격할 늑대인지 분간하기 어렵다는 데서 유래한 것인데, 나는 그 시간을 '어느 바리스타의 오후'라 부르고 싶다.

창밖으로 바삐 지나가는 저 수많은 사람 중 내게로 다가오는 이들은 누가 될까? 어느새 나는 그날의 카페로 돌아가 앞치마를 입고 에스프레소 머신 앞에 선 바리스타가 된다.

어느 바리스타의 오후를 꿈꾸며...

카페라떼 (Cafe Latte)

카푸치노 (Cappuccino)

카페라떼와 카푸치노 ⓒ 민세원

드립커피가 있는 풍경

　연분홍 꽃잎이 하나둘 흩날리기 시작했다. 벚꽃이 만개하는 순간, 바야흐로 봄이다. 산책을 위해 즐겨 찾곤 하는 공원의 초입에만 들어서도 이름 모를 봄 내음이 물씬 풍겨온다. 그래서일까, 코를 간질이는 꽃향기와 풀냄새를 맡으면 문득 직접 내린 커피 한 잔이 그리워지곤 한다.

　'봄엔 역시 상큼한 과일 향과 산미 가득한 원두가 제격이지!'

　간만에 드립커피를 내려 마실 생각을 하니, 괜스레 신이 난다. 부엌으로 가 찬장 문을 연다. 그 안에 가지런히 자리한 드립커피 주전자와 드리퍼(Dripper: 커피잔이나 서버에 커피를 직접 내릴 때 사용하는 깔때기 모양의 추출 기구), 여과지(종이필터), 서버가 나를 반긴다.

　전기포트에 물을 한가득 받은 후 전원 버튼을 누르는 것은 나만의 티파티(Tea Party)가 시작되었음을 알리는 신호이다. 물이

끓는 동안 준비해야 할 것이 많아 마음이 앞선다. 이런, 급하게 서두르면 좋은 드립커피를 만날 수 없다. 눈을 감고 가볍게 심호흡하며 소란한 내 안을 다스려본다. 이럴 때 전기포트의 온도가 올라가며 나는 치지직 소리는 마음을 가라앉히는 진정 효과가 있다.

식탁 위에 놓인 드립커피 도구들을 눈으로 점검하며 빠진 게 없는지 확인한다. 어디 보자, 드립커피 주전자와 드리퍼, 여과지, 서버는 있고 원두를 덜어낼 계량스푼과 저울, 전자 온도계까지 챙겼으니 분명 다 있는데. 왜 무언가 중요한 게 빠진 듯한 느낌이 드는 걸까. 아차차, 오늘의 주인공 커피 원두가 출석하지 않았구나.

예가체프 코체레 첼레렉투. 오늘 티파티의 주인공으로 자리하게 될 에티오피아의 대표적인 스페셜티 원두 중 하나이다. 원두가 담긴 봉투를 열고 향을 한가득 들이마신다. 진하면서도 산뜻한 향이 자꾸만 마음을 건드린다. 기대감을 채워줄 거라며 어서 마셔보라고 재촉한다. 마치 사교계 데뷔를 앞둔 철없는 아가씨의 모습이랄까. 그럼에도 사심 없이 권해오는 그 순수함이 더없이 매력적이다.

서버 위에 드리퍼를 살포시 얹는다. 여과지를 꺼내 아랫면과 옆면을 접어 깔때기 모양으로 만들면, 드리퍼 안에 들어가기 딱 알맞은 친구가 된다. 삐이. 마침 전기포트의 물이 다 끓었음을 알리는 반가운 소리. 펄펄 끓은 물을 드립커피 주전자로 옮겨 담으면, 이제 곧 린싱(Rinsing)의 마법이 펼쳐질 시간이다.

드리퍼 안에 넣은 여과지 위로 드립커피 주전자의 뜨거운 물을 부어 여과지를 충분히 적셔준다. 그러면 물을 붓기 전까진 드리퍼 안에 들떠있던 여과지가 물을 만나 드리퍼와 밀착해 찰떡궁합이 된다. 마치 오랜 기간 서로를 잘 알아 왔어도 일정 보폭의 거리감을 유지하던 친구 사이가 어떤 일을 계기로 그 거리를 좁혀 연인으로 발전하는 것처럼. 한 치의 틈도 허용하지 않는 그 순간, 드리퍼와 사랑에 빠진 여과지는 몸에 밴 펄프 냄새를 떨쳐내고 커피 원두의 향을 유지할 신데렐라로 다시 태어난다. 여과지와 드리퍼를 통과해 아래로 떨어진 물이 서버의 체온을 올려주는 것은 덤이다.

이제 티파티의 주인공 원두 가루를 계량할 차례. 커피의 향이 날아가는 것을 막기 위해 추출 직전에 계량하는 것은 드립커피를 내릴 때의 불문율이다. 연금술사에게 빙의한 듯 신중한 손놀림으로 정확하게 원두 가루의 양을 덜어낸다. 1그램의 오차도 허용하지 않기 위해 조수를 고용한 보람이 있다. 최신형 고스펙을 보유한 주방용 전자저울의 도움에 감사의 마음을 전한다.

계량한 원두 가루를 드리퍼와 여과지 커플에게 에스코트하는 것으로 해야 할 일이 모두 끝났다고 생각한다면 당신은 아마추어 바리스타이다. 저 콧대 높은 티파티의 주인공이 순순히 따를 리 없다. 더욱이 명망 높은 예가체프 가문의 코체레 첼레렉투 아가씨가 아니던가. 사교계 데뷔를 앞두고 긴장한 아가씨를 달래는 것은 무릇 샤프롱(Chaperon: 중세의 유럽 귀족사회에서 젊은 여자가 사교계에 나갈 때 보살펴주던 귀부인)의 기본 의무일 터. 긴장하며 흐트러진 몸가짐을 바로잡기 위해 드리퍼를 몇 번 톡톡 쳐주면, 원두 가루의 수평이 맞춰진다. 린싱 후 서버에 남아있던 물을 비워내고, 평평한 원두 가루가 담긴 드리퍼를 다시 서버 위에 올리면 비로소 커피 추출을 위한 기본 준비가 끝이 난 셈이다.

하지만 아직 티파티의 주인공이 되기 위한 마지막 관문이 남아있다. 무릇 모든 일에 뜸을 들이는 것은 다 이유가 있는 법이다. 아무리 배가 고프다 한들 뜸 들이지 않아 설익은 밥을 먹을 수는 없는 노릇 아니겠는가. 마찬가지로 드립커피도 뜸을 들이는 과정이 꼭 필요하다.

전기포트로 100℃ 이상 팔팔 끓인 물을 드립커피 주전자로 옮겨놓는 것도 바로 이 뜸을 위한 과정이다. 린싱과 원두 계량을 거치는 동안, 드립커피 주전자에 담긴 물의 온도는 커피 추출에 안성맞춤인 89~92℃가량으로 떨어지기 때문이다.

이제 본격적으로 뜸을 들이는 순간이다. 드리퍼와 여과지 안에 얌전히 앉아있는 원두 가루 위로 드립커피 주전자에 담긴 물을 조금만 흘려보낸다. 원두 가루를 전체적으로 골고루 적실 정도의 양이면 충분하다. 따끈한 물을 만난 원두 가루는 발효가 진행 중인

빵 반죽처럼 조금씩 부풀어 오르면서 이루 말할 수 없이 향긋한 커피 내음을 풍긴다. 파티장 입구에서 문이 열리기를 기다리며 긴장과 기대감으로 한껏 부풀어 오른 코체레 첼레렉투 아가씨처럼.

더 이상의 기다림은 없다. 티파티를 위한 커피 추출을 시작할 바리스타의 등장이다. 드립커피 주전자의 S자형 배출구를 이용해 물줄기를 매우 가늘고 일정하게 조절하면서 원두가루에 부어준다. 한가운데에서 시작해 둥글게 원을 그리며 바깥으로 나갔다가 다시 원점으로 돌아오는 것을 반복하는 나선형 추출법이다. 언뜻 쉬워 보이지만, 물줄기가 끊어지지 않도록 하는 동시에 서버로 추출되는 커피의 양을 보면서 추출량을 조절해야 하는 섬세한 작업이다. 그렇기에 조금이라도 잡념이 끼어드는 순간, 추출되는 커피의 맛 또는 양은 실패작이 될 수밖에 없다. 화나는 일이나 고민거리가 있는 날에는 드립커피를 내리기 꺼려지는 이유이기도 하다.

그럼에도 나는 매번 이 순간이 가장 기다려진다. 오직 원하는 목표 그 하나를 이루기 위해 고도의 집중력을 발휘하는 것. 해탈의 경지에 도달하는 무념무상(無念無想)이란 바로 이런 때를 말하는 것이 아닐까. 세상에 존재하는 것은 오직 커피와 나 둘뿐이다. 아니, 어느 시점부터는 커피와 나조차 구분되지 않는 자타불이 (自他不二)의 세계로 빠져드는지도 모른다. 쉽게 휘발되지 않을 청량한 향과 영롱한 갈색의 '악마의 음료'만 남긴 채.

모든 추출 과정을 마치고 마침내 눈앞에 고고한 자태를 드러낸 드립커피 한 잔을 보라. 잔의 바닥이 엿보이지 않는 진한 초콜릿색 커피를 한 모금 음미한다. 코끝에 진득하게 감겨오는 향과 달리 목넘김은 부드럽고, 상큼한 과일 향과 산미가 입안을 가득 채운다. 커피만의 고유하고 쌉쌀한 뒷맛까지 잊지 않은 걸 보면 티파티의 주인공이 되기에 모자람이 없다.

*****

처음에는 드립커피를 추출하기 위한 일련의 과정을 나만의 정신 수양과 심신 안정을 위한 의식이라고 여겼다. 그 누구도 방해할 수 없는 오롯이 나만을 위한 축복을 찾았다는 생각이 들 정도로, 커피를 내리는 것은 치유의 활동이었다. 누군가의 잔인한 혀가 난도질한 영혼을 어루만지는 시간이자, 가뭄으로 마른 논처럼 쩍쩍 갈라진 마음의 목마름을 해갈하는 마중물이기도 했다. 행복했다. 고작 커피 한 잔에 거창한 의미를 부여한다는 비웃음을 살지라도 내 마음이 편하다면 그것으로 되었다. 이 소중한 시간에 절대로 다른 이를 끌어들이지 말자고 생각했다. 하지만 시간이 흐르면서 나의 커피는 잔향으로 기억되기를 거부했다.

여느 때와 같이 드립커피 한 잔을 내려 허한 마음을 달래던 어느 날, 커피가 내게 말을 걸었다. 정확히는 질문을 해온 것이지만.

"카페(Café)라는 말이 어떻게 생겨났는지 알아?"

"카페테리아(Cafeteria)의 줄임말 아닌가? 아, 원래는 커피를 뜻하는 터키어 'Kahve'라는 말이었다고 했던가?"

"문자의 어원을 묻는 게 아닌 걸 알잖아. 그 의미 말이야."

"……."

"잊었어? 사람들 간에 나누는 담소 또는 대화, 사교의 공간."

알고 있다. 커피는 사람과 사람의 교류를 이어주는 매개체였기에 오랜 시간이 지나도록 사랑받고 있다는 것을. 왜 모르겠는가. 그저 머리가 알고 있는 것을 마음이 모른 척해왔을 뿐이다. 상처받고 싶지 않아서, 상처가 아무는 동안만이라도 혼자만의 도피처가 필요하다는 어설픈 이유를 대면서.

사실 드립커피를 내린다는 것은 누군가를 대접하고 싶다는 의미인지도 모른다. 함께 마시며 대화할 시간 또는 교류할 사람이 필요하다는 방증이며, 정성껏 내려 준비한 이 귀한 음료를 소중한 사람들과 나누는 기회이기도 하다.

갈피를 잡지 못하고 방황하던 것도 잠시, 다시 드립커피를 내렸다. 내가 아닌 내 소중한 사람들을 위한 커피의 시작이었다. 첫 잔은 사랑하는 가족들을 위해, 그다음은 오랜 시간 우정을 나눈 친구들을 위해. 그리고 이제는 앞으로 긴 시간을 들여 천천히 알아가고 싶은 사람들을 위한 커피가 되어가고 있다.

"어머나, 직접 내린 커피라니 너무 대접받는 기분인데?"

"역시 드립커피는 부드럽게 넘어가서 매력 있어."

"이건 정말 내 취향인데? 어떤 원두인지 알려줄 수 있어?"

"나는 언제쯤 커피 맛 보여줄 거야?"

"커피 정말 맛있게 잘 마셨어."

"나도 바리스타 교육을 받아보면 어떨까?"

소중한 사람들과 내가 내린 드립커피를 나누는 것은 또 다른 치유의 경험이었다. 진심을 담아 건넨 커피는 양이온과 음이온이 만나 반응하는 화학식처럼 기쁨과 감사로 치환되어 되돌아온다. 화학반응이 거듭될수록 서로에게 시너지를 일으키는 '케미(Chemi: Chemistry의 줄임말. 조화, 어울림을 나타내는 신조어)'도 점점 더 좋아지고 있다.

커피는 이야기를 만든다. 그렇기에 처음 만나는 사이의 어색함을 상쇄시켜 주는 다정한 조언자가 되거나 누군가를 이해하는 계기가 될 수도 있다. 서로 함께하는 시간이 쌓이면서 잊지 못할 값진 추억의 매개체로 기억되기도 한다.

그래서 오늘도 나는 온 마음을 다해 드립커피를 내린다. 매미가 시끄럽게 울어대는 한여름이 와도, 울긋불긋 곱게 단풍이 드는 가을에도, 함박눈이 펑펑 내리는 겨울이 되어도 그리고 또다시 벚꽃이 흩날리는 봄이 돌아와도 여전히 드립커피를 내리고 있을 것이다.

나의 소중한 사람들을 위해,

나를 소중하게 여겨주는 사람들을 위해.

나의 드립커피가 있는 풍경은 그만큼 더욱 향기롭고 진하다.

드립커피 ⓒ 민세원

다시 만나는 그때

박 경 영

작가 소개 | 박 경 영

초등학교에서 20여 년간 아이들과 함께 성장하고 나누는 교육을 꿈꾸며 재미있는 시간을 보냈습니다. 여전히 그들과 함께하는 세상 안에서 배우며 성장하는 중입니다.

글쓰기는 그러한 성장 과정의 주요한 일부이며 글을 쓰며 되돌아보는 어제의 순수, 오늘의 열정 그리고 내일을 향한 꿈과 기대는 이제 멈출 수 없는 삶의 여정이 되었습니다.

은빛바다의 추억

부엌에서부터 끊임없이 들려오는 달그락거리는 소리, 드르륵 드르륵 문을 여닫으며 이리저리 바삐 움직이는 소리가 잠결에 들려오기 시작했다. 그리고 얼마 후, 여느 때와 다름없이

"영아, 영아 고마 일나라. 해 뜬 지가 언젠데 아직도 자고 있나? 고마 펄떡 일나라. 펄떡 일나라니까."

이불 안의 포근함을 뿌리치기 힘들었던 나는 몸을 더욱 웅크리며

'아니, 쫌만 더 쫌만 더……'

하지만 사정없이 작은방 문을 확 열어젖히며 다그치는 엄마의 억센 목소리가 다시 쨍쨍하게 나의 귀를 두드려 대기 시작했다.

"영아, 영아 펄떡 일나서 씻고 밥묵자. 우째 이래 늦장을 부리노. 아침인기라 그만 자고 일나라."

점점 더 거칠게 더 세차게 몰아치는 소리에 겨우 이불을 걷어 올린 나는 마침내 떨어지지 않은 눈꺼풀을 억지로 치켜올린 채 눈을 비비며 성큼성큼 방문을 나섰다. 오늘도 어김없이 아침

밥상에 오를 생선구이 냄새가 집안 가득 스며들어 코끝을 자극하고 벌써 저만치 올라온 아침햇살 한 줄기가 사정없이 나의 눈살을 찌푸리게 하였다.

엄마는 밥상 앞에서 깨작거리고 있는 나에게 연탄불에 적당히 그을려 맛 좋게 구워진 뽈래기의 가시를 발라내고 그 쫄깃하고 담백한 살을 밥그릇 한가운데로 연신 넣으며,

"이거 한번 묵어봐라. 얼마나 맛난지 모를 끼다. 육지 사람들은 못 먹는 기다. 억수로 맛있다 아이가. 어서 묵어봐라."

이곳 섬으로 이사한 후, 엄마의 가장 큰 자랑거리가 된 생선요리는 언제나 삼시 세끼 우리 집 밥상의 주인공이 되어있었다. 맛있게 먹는 가족들의 모습을 보며 오늘 생선의 맛과 싱싱함을 평가받고 확인하는 것이 마치 엄마의 큰 기쁨이 된 것처럼 보였다. 그 기쁨을 위해 이른 아침 고깃배가 잡아 오는 살아있는 생선을 사러 서둘러 선착장으로 나가는 수고를 마다하지 않았다. 항상 살아 움직이고 있는 싱싱한 생선을 바로 손질한 후 꾸덕꾸덕 적당히 말려 연탄에 구워 주거나 매콤하면서도 적당히 짭조름한 생선조림으로 우리의 입을 즐겁게 해주곤 하였다.

"영아, 오늘은 밥 빨리 먹고 엄마랑 선착장으로 가야 한데이. 후딱 묵어라. 늦으면 안 되는 기라. 후딱 묵고 가자."

"엄마, 나는 왜 가노? 생선 사러 가는 기면 엄마 혼자 가라. 나는 안 갈란다."

엄마의 명령을 거스르기 힘들다는 걸 분명 알고 있었지만, 선뜻 내키지 않았던 나는,

"엄마, 나 안 가면 안 되나? 가기 싫다. 엄마 혼자 가서 생선 사면 되지."

나의 말에 전혀 아랑곳하지 않은 엄마는 여느 때보다 훨씬 더 서둘러 움직이며 부엌에서 커다란 냄비 하나를 들고나오더니 다시 우물가로 또다시 부엌으로 들어가 열심히 뭔가를 찾기 시작했다.

"작은 냄비 하나가 안 보인다. 그 노란색 뚜껑 냄비 안 있나. 그게 어디 갔노. 아이고 얄구져라. 맨날 있던 게 왜 안 보이노. 참말로 얄구지네."

아무리 찾아도 보이지 않는 노란 냄비 대신 손잡이 하나가 나간 양은 냄비를 내게 건넨 엄마는

"얼른 가자. 배 들어오겠데이, 빨리 가자."

엄마가 건네준 빛바랜 낡은 양은 냄비를 손에 쥐고 마지못해 엄마를 따라나서는 나의 발걸음은 무겁기만 했다.

대문을 나서자 펼쳐지는 바다가 오늘은 더 넓게 느껴졌다. 처음 저 바다를 보았을 때 너무 가까이, 너무 높이 솟아 있는 바닷물이 혹 우리 집을 삼키면 어쩌나 걱정이 되었다. 캄캄하고 도저히 깊이를

헤아릴 수 없는 바다가 가끔 두렵기도 하였다. 하지만 시간이 흘러 높았던 바닷물이 저 멀리 쓸려 나가면 바다는 캄캄했던 그 깊은 곳을 조금씩 조금씩 드러내며 그가 품었던 모든 것을 아낌없이 보여주기 시작하였다.

그 신비한 능력에 매료된 이후부터 바다는 나의 신기하고 놀라운 놀이터가 되어주었다. 넓디넓고 신기한 놀이터를 저벅저벅 걷다 보면 시커멓고 무서웠던 바다는 온데간데없이 무수한 모양의 많은 조개들을 만나고, 꽃게들의 빠른 춤을 보며, 구멍을 숭숭 만들며 바삐 움직이고 있는 이름 모를 생명체들과 수없이 대면하게 되었다. 도시에서는 결코 상상할 수 없는 신기한 놀이터, 나는 점점 바다가 주는 신비한 변신에 익숙해지며 이 마법의 놀이터에 빠져들어 가고 있었다.

선착장 가는 길 멀리 보이는 1구 항에서 여객선의 출발을 알리는 뱃고동 소리가 크게 들려왔다. 짭짜래한 바다 내음을 맡으며 엄마 뒤를 졸래졸래 걷고 있던 나는 유난히 코끝 가득 진동하는 비린내와 함께 끼룩끼룩 소리를 내며 몰려드는 갈매기 떼들을 보며 선착장에 이르렀다.

그곳은 이미 많은 사람으로 북적이고 있었다. 조용한 어촌 마을의 아침에 무슨 큰일이라도 난 것처럼 몰려 있는 사람들을 보며 의아해하고 있는 나에게,

"아이고, 벌써 이리 많이 왔나. 영아, 엄마한테 딱 붙어서 따라와라. 앞으로 가자."

엄마는 북적대는 사람들을 헤치며 앞으로 나아갔고 나는 엄마 뒤를 바짝 붙어 사람들 사이를 파고 들어가려 애썼다.

얼마쯤 갔을까 마침내 사람들에 의해 막혀 있던 바다 한 편이 서서히 시야에 들어오기 시작하자 나는 그만 강렬한 빛에 시린 눈을 감고 말았다.

다시 눈을 뜨자 펼쳐진 바다는 단 한 번도 본 적이 없는 은빛 바다, 바다는 온통 은빛으로 뒤덮여 있었다. 저 멀리 보이는 바다 위 배들은 은빛으로 빛나는 높은 산을 어떻게 옮겨 실었는지 은빛 산을 실은 채 천천히 움직이고 있었고 내 눈 좀 더 가까이 보이는 배 위에는 그 은빛 산이 이리저리 춤추며 선착장을 향해 나아오고 있었다.

이 놀라운 광경 앞에 어리둥절하고 있을 때, 엄마가 나의 팔을 확 잡아당겼다.

"여기 딱 서 있어라. 엄마가 하는 대로 하면 된다 알겠제."

춤을 추던 은빛 산이 선착장에 이르자 마침내 배 한가운데 가득 팔딱거리고 있는 수많은 은빛 생선들이 보였다. 은빛 생선들은 기다랗고 넓게 펼쳐진 그물 안 빼곡 빼곡 모여 위로 아래로 춤을 추고 있었다. 그 춤은 도대체 멈출 기미가 보이지 않았다.

얼마 후 비닐 옷과 기다란 장화로 무장한 위풍당당한 아저씨들이 일렬로 줄을 서기 시작했다. 햇볕에 그을린 그들의 얼굴에는 알 수 없는 미소가 담겨 있었고 힘이 가득 들어간 억센 팔뚝을 움직이며 박자에 맞춰 그물을 힘차게 연이어 털어 대기 시작했다. 그러자 하늘 높이 솟구쳐 오르는 은빛 생선, 바다 아래로 돌진하는 은빛 생선, 그물 밖으로 튀어나와 선착장 바닥으로 떨어지는 은빛 생선……

그들이 만들어내는 은빛 세상을 따라 나의 눈이 쉴 새 없이 따라 움직이고 있던 한순간 생선들을 향해 돌진하는 사람들의 빠른 움직임이 보였다. 엄마도 예외는 아니었다. 그 빠른 움직임에 질세라 재빨리 이리저리 움직이는 엄마, 나 또한 그런 엄마의 뒤를 쫓아 자연스럽게 발이 움직이기 시작했다. 저 높이 솟아 있는 은빛 세상을 손안에 담기 위해 두 손을 높이 쳐들고 여기저기를 분주하게 뛰고 있었다.

얼마나 시간이 흘렀을까, 어느새 나의 손에서 팔딱거리고 있는 은빛 요정, 엄마의 손에도, 또 낯선 아주머니의 손에도……

마치 오선지에 그려진 수많은 음표가 오선을 올라갔다 내려가며 만들어내는 아름다운 선율처럼 그들도 그물 위를 높이 올랐다 다시 아래로 떨어지며 신기하고 놀라운 리듬을 만들어 냈다. 아저씨들이 뿜어내는 거친 소리와 힘찬 움직임이 그 리듬과 어우러지자, 춤을 추듯 은빛 생선을 향해 연신 움직이며 흥겨워하고 있는 사람들, 그들은 이리저리 뒤엉켜 은빛 축제의 한마당을 즐기고 있었다.

조금 지쳐있었지만, 낡은 냄비에 가득 채워진 은빛 생선들의 움직임을 온몸으로 느끼며 집으로 돌아가는 길은 마냥 신나기만 했다. 엄마도 은빛 바다가 선사한 선물에 매우 흡족해하며,

"이 생멸치를 자작자작하게 쪼려서 상추쌈에 올려 묵으면 얼마나 맛있겠노."

"좀 큰 놈은 배 갈라가지고 미나리 썰어 넣어 회무침 해서 묵자. 너거 아버지가 진짜 좋아할 기라."

그토록 생생하고 선명한 은빛으로 물들여져 있는 바다를 다시 볼 수 있을까!

그 바다를 수놓았던 은빛 주인공들의 경쾌하고 역동적인 춤을 그리고 함께한 축제의 기쁨을 다시 느껴볼 수 있을까!

어느 따스했던 봄날 바다 위 만선의 멸치 배가 그려낸 은빛 풍경에 취했던 나는 신비로웠던 그 은빛 바다를 잊을 수가 없다.

내가 쓰는 1987

　고등학교 배치 통지서를 받은 그날 매우 놀란 표정으로 교실로 들어온 선생님은 아주 걱정 어린 목소리로 말했다.

　"경영아, 우짜노. 하필 가까운 학교 두고 우째 그리 먼 데로…….참말로 우야면 좋노. 전교 학생 중 딱 너만 그 학교인 기라."

　그날은 그렇게 온종일 선생님, 친구들, 부모님의 걱정 어린 목소리와 위로를 함께 들어야 했다. 그러나 나는 그들과 생각이 사뭇 달랐다. 이제 변두리 울 동네를 벗어나 부산에서 가장 번화한 시내 중앙으로 진출, 어쩜 가장 진한 문명의 향기를 맡을 수 있는 곳으로 가는 것이니 집에서 학교가 먼 것도 괜찮았고 가까운 친구들과 헤어지는 것도 문제가 되지 않았다.

　'이제 나는 60번 버스를 타고 매일 신나게 신세계로 간다 아이가. 여기 시골 동네랑은 비교도 안 되는 기라.'

　오히려 설렘으로 가슴은 부풀어 올랐다.

나의 설렘과 헛된 기대를 깨는 데는 오랜 시간이 걸리지 않았다. 고등학생이 된 후 꿈과 희망의 60번 버스를 타고 갈 수 있는 곳은 학교 지적에 있는 시내 중앙 문명의 중심지인 광복동 패션 거리도, 화려한 불빛이 반짝이는 남포동 도심의 한복판도, 어린이날 가족과 함께 솜사탕을 들고 올라간 학교 맞은편 용두산 공원과 부산 타워도 아니었다. 그저 젊음의 자유를 빼앗긴 채 아침부터 밤까지 이어지는 지겨운 수업과 공부와의 사투를 벌여야 하는 곳, 내가 가고 싶은 세상과 완전히 단절된 그곳 오직 학교뿐이었다. 학교는 아름답게 펼쳐져야 할 내 청춘을 몽땅 앗아가는 그야말로 젊은 날을 옴짝달싹도 못 하게 한 채 사람을 가두고 있는 감옥 그 자체였다.

고3이 된 나는 그날도 여느 때처럼 피곤함에 찌든 채 미문화원이라는 버스 정류장에 내려 복병산 자락에 자리를 잡은 학교를 향해 거의 등산에 가까운 등굣길을 걸어가고 있었다. 항상 지나치는 미문화원 앞엔 성조기가 휘날리고 있었고 담쟁이넝쿨로 뒤덮인 오랜 건물의 문은 굳게 닫혀 있었다.

큰길 건널목을 건너 바로 골목으로 진입하자 이른 아침부터 태극당의 빵 냄새를 맡을 수 있었다. 태극당의 곰보빵과 팥빵은 나의 힘든 시간을 그나마 견디게 하는 작은 위로이자 기쁨이었다.

며칠 전 아주머니께서 권한 초코케이크의 달콤함은 말로 표현하기 힘든 환희 그 자체였다. 곰보빵 두 배의 가격을 내야 했으나 그 정도 사치는 고3인 나를 위해 충분히 필요한 거라 여기며 그 집 문을 자주 두들기곤 했다.

빵 냄새와 함께 나의 시선을 빼앗는 것은 음악 레코드와 테이프를 파는 성진 레코드점이었다. 그곳에서 흘러나오는 문세 오빠의 모든 노래는 19세 소녀의 감성을 자극하기에 충분했다. 지난날 길거리 리어카 아저씨로부터 저렴하게 사들인 그의 노래 모음곡 복사 테이프를 늘어날 만큼 들었는데 이번에 새로이 소개된 그의 4집 앨범 '사랑이 지나가면' 또한 나의 기대를 저버리지 않았다. 그가 불러주는 명곡의 노랫말과 멜로디는 내 감성을 울렸고 그 노래를 흥얼거리는 것만으로도 가슴은 촉촉해졌다.

골목 끝 초록 문구점 아저씨가 가게 셔터를 막 올리는 모습을 뒤로 가파른 계단과 오르막을 올라가면 마침내 학교 정문이 보였다. 학교는 마치 산속 절처럼 속세와 단절되어 아주 높은 곳, 정말 사람들이 없는 외진 곳에 우뚝 서 있었고 난 아침부터 속세와 이별을 한 비구니마냥 교실로 향해 터벅터벅 걸어갔다.

언제나처럼 교실은 텅 비어 있었다. 뭐 대단한 일을 하는 것은 아니지만 교실에 도착한 첫 번째 학생으로서 창문의 커튼을 걷어 단단하게 묶는 일은 항상 나의 몫이었다. 가려진 커튼이 걷히자,

유리 창문 너머로 멀리 부산 부두 항과 겹겹이 쌓여 있는 네모난 컨테이너들이 보였고 더 멀리 넓은 바다 위에는 제법 큰 화물선들과 ·쾌속선들이 떠 있었다. 또 고3 열아홉의 아침이 시작된 것이다.

정규 수업 시간을 끝내고 바로 차가운 저녁 도시락을 먹고 나면 얼마 지나지 않아 야간 자율학습을 알리는 종소리가 들려왔다. 이른 아침부터 늦은 밤 10시까지 엉덩이를 딱딱한 의자에 대고 앉아 있어야만 하는 야간 자율학습 시간은 언제나 고문처럼 느껴졌다. 하지만 학원도 과외도 금지되어 버린 시절 오로지 학교에서만 이루어지는 이름하여 자기주도 학습 시간, 이 야간 자율학습 시간은 누구도 피해 갈 수 없는 시간이었다.

야간 학습 시작종이 울렸는데 짝 순옥이가 보이지 않았다.

"순옥이 못 봤나. 순옥이가 안 보인다."

"어, 정란이도 교실에 없는데……."

"진짜가, 진짜로 둘이 교실에 없는 기가. 문디 가시나들 어디 갔노? 누구 아는 사람 있나?"

짝을 잃은 나와 신영이 걱정하며 당황하고 있을 때 그들과 같이 항상 도시락을 먹는 영선이가 아는 체를 하였다.

"나는 안다. 그 둘이 남포동 먹자골목 가서 밥 먹고 영화관 갔을 기다. 어제 둘이 간다 카더니 진짜로 가뿐는지는 몰랐다 아이가. 참말로 가시나들 간띠가 부었는기라.”

“우야노, 진짜 붉은곰이 알면 우리 다 죽었다 아이가.”

“가시나들 전번에 붉은곰한테 얻어맞고 또 정신 못 차린기가.”

“담임샘이 저번에 단디 일렀는데 또 교문 밖으로 나가뿌면 진짜 우짜노. 이 일을 알면 이제 우짤건데.”

반 친구들의 한숨과 걱정으로 한순간 교실은 어수선하였다. 짝꿍 순옥이가 지난번에도 야간 자율학습 시간에 학교 밖으로 나가서 악명높은 학생부 주임 선생님에게 끌려가 회초리를 맞는 걸 직접 목격했던 나는 가슴이 덜컹 내려앉았다. 그래도 소심한 내가 도저히 할 수 없는 것을 대신하고 있는 순옥이의 그 용감무쌍한 행동이 못내 부럽기도 했다. 한동안의 소란스러움이 가라앉자 여느 날처럼 다시 자율학습 시간은 조용히 흘러가고 있었다.

저녁 도시락을 먹은 뒤 졸린 친구들은 공부와는 상관없이 벌써 엎드려 잠을 청하고 있었다. 그러나 대학입시를 앞두고 열심히 공부와 씨름하고 있는 몇몇 아이들의 모습은 무척 진지해 보였다. 나는 공부에 집중하기 힘든 시간을 간신히 버티며 풀리지 않는 수학 문제를 깨작거리고 있었다. 그때 갑자기 퇴근한 줄 알았던 담임 선생님이 교실로 들어왔다.

‘아이고 올 것이 왔구먼. 순옥이랑 정란이 때문에 왔는갑다. 우째

벌써 알고 왔나. 참말로 빠르기도 하지'

갑작스러운 담임선생님의 등장으로 내 마음은 죄인이 된 것처럼 콩닥콩닥 뛰기 시작했다.

그러나, 선생님은,

"오늘은 야간 학습 이만 끝낸다. 모두 가방 챙기고 하교 준비해라 알겠나. 어서 서둘러라."

"그리고 학교 아래 큰길 미문화원 앞에서 시위대가 농성하고 있으니까 그 길로 가면 절대 안 된다 알겠나? 그 길은 지금 경찰도 와 있고 억수로 위험하니까 그 길 피해서 다른 길로 하교해야 한다. 알겠제."

"아참, 거기 도로는 버스도 지금 안 다닌다."

선생님의 말씀에 놀란 나는,

'그럼 어떻게 나는 집에 가노. 우째야 하노. 거기 미문화원 맞은편 정류장에서 60번 버스를 타야 집에 가는데……'

순간 걱정과 공포감이 몰려왔다.

'시위대는 또 뭐고? 엄마가 말하는 빨갱이들인가. 그들이 와그라는데.'

뉴스에서 어쩌다 본 시위대와 경찰들의 싸우는 모습이 지금 학교 밖에서 바로 벌어지고 있다는 사실이 믿어지지 않았던 나는 온갖 생각들로 머리가 복잡해졌고 당장 집으로 어찌 가야 할지 참으로 난감해하고 있었다. 그 사이 학교 근처에 살고 있는 친구들은 삼삼오오 짝을 이루며 교실을 황급히 나가고 있었다.

나만 홀로 남게 되었을 때 선생님은,

"경영아, 니는 집이 멀지? 큰길에서 버스 타야 하나?"

"네, 선생님. 저는 미문화원 쪽으로 가야 집 가는 버스 탈 수 있어예."

"그라면 잠시 기다려라. 같이 교무실로 가자. 엄마하고 통화를 좀 해봐야겠다."

교무실에서 엄마와 선생님의 긴 통화가 끝난 얼마 후 나는 택시에 몸을 싣게 되었다.

혼자 택시를 타는 건 처음이었다. 불안한 맘으로 탄 택시는 전혀 알지 못하는 낯선 길을 달렸다. 아마도 시내 큰 도로를 피하려다 보니 골목길만을 달려가는 듯하였다.

'오늘 집으로 갈 수는 있는 거가. 혹시 택시 아저씨가 다른 데로 가는 건 아니겠제.'

이런저런 생각으로 몹시 불안해하고 있을 때 퇴근길 중년의 아저씨로 보이는 한 손님이 탔다.

조용했던 택시 안은 그때부터 기사 아저씨와 낯선 아저씨의 대화로 시끄러워졌다.

"나라 꼴이 왜 이 모양인지 모르겠는 기라. 부모가 피땀 흘려 번 돈으로 대학 보내놨더니 데모나 하고……. 참말로 미친 것들, 저 빨갱이들은 모두 잡아 처넣어야 하는 기라."

"아이고 말도 마이소. 요새 대학생들은 지들만 똑똑한 줄 알고 부모 가슴에 대못 박는 짓만 하고 다니는 기라예. 요새 시위대들 때문에 손님만 없다 아입니까."

"이제 겨우 나라가 먹고 살게 되었는데 저것들이 배부른 줄도 모르고 저래 난리를 치면 북한에서 빨갱이들이 쳐들어오고 말지. 이번에 단디 대통령을 뽑아야제. 빨갱이가 대통령 되면 마 나라가 망하는 기라."

"그라지예. 맞는 말이라예. 요번에 대통령을 잘 뽑아야 되지예."

그들이 나누는 대화는 나에게 다소 생소하였다. 그러나 나 또한 국민의 한 사람으로 은근히 걱정되긴 하였다.

'엄마가 말하던 빨갱이가 많긴 많은갑다. 우짜노 북한에서 진짜 쳐들어오면……'

얼마 뒤 택시 아저씨는 또 한 명의 손님을 태웠다. 이번엔 대학생으로 보이는 젊은 언니였다. 여자라는 생각에 내 맘은 좀 안심이 되었지만 잠시 후 알 수 없는 매캐한 냄새로 코가 시큰해지고 눈까지 시려 오는 낯선 통증이 느껴졌다. 언니에게서 나는 무지 매운 냄새였다. 낯선 언니는 처음 본 아저씨들에게 거침없이 말을 늘어놓기 시작했다.

"오늘 시내에서 뭔 일이 있었는지 아셔예? 경찰들이 최루탄을 무자비하게 시위대에 쏘아댔다 아입니까. 경찰들이 대학생들을 잡아가서 고문까지 해서 학생들이 죽어가고 있는 것도 모르지예. 이 모든 것의 잘못은 독재정권, 독재자 전두환 때문이라예. 이제 다시는 속으면 안 된다 아입니까. 이번엔 제대로 된 대통령을 우리가 뽑아야지예."

언니의 끝도 없이 이어지는 충격적인 말을 듣고 있는 것도 벅찰 때쯤 갑자기 언니가 아저씨들께 물었다.

"또 광주에서 일어난 일들도 아직 모르지예? 그곳에서 많은 남녀노소가 죽은 기라예. 모두 우리 군인들이 저지른 일이라예. 아무 죄도 없는 사람들을…… 전부 다 독재자 전두환이 시킨 거 아입니까."

언니의 더욱 격앙되고 흥분된 목소리에 아저씨는 더 큰 목소리로,

"학생, 고마 조용히 해라. 학생도 빨갱이가? 그거 전부 북한 빨갱이들이 지어낸 거제. 그걸 나보고 믿어라 카나. 참말로 학생도 좀 제대로 알고 그런 말을 해야지. 학교서 그런 것 가르치더나? 우째 그리 겁도 없이 근거도 없는 말을 했샀는데 진짜로."

그러나 언니는 더욱더 거침없었다.

"내가 빨갱이로 보여예? 저 빨갱이 아니라예. 내가 비디오를 직접 봤다 아입니까. 군인들이 총을 쏘고 시민들을 진압하는 거를예. 군인이 민간인을 마구잡이로 죽이는 거라예. 광주 시민들이 참말로 빨갱이로 보여예? 아저씨야말로 뭐를 제대로 알아야지예. 뭣 땜에 대학생들이 이러는지……"

택시 기사 아저씨께서 둘의 대화에 끼어들며,

"고마 이제 그만들 하시소. 학생도 이제 그만하고. 그냥 모두 조용히 가는 게 좋겠네예."

어색한 분위기 속에 그야말로 숨을 죽이고 조용히 대화를 듣고 있던 나는 언니의 말에 갑자기 심장이 쿵쾅쿵쾅 뜀을 느꼈다. 단 한 번도 들어본 적이 없는 충격적인 말이었다.

'아니, 오늘 들은 이 언니의 말들이 모두 사실인가. 군인이 시민들을 죽였다고. 설마 그럴 리가. 근데 이게 사실이면……'

가슴이 뛰다 갑자기 아파짐을 느꼈다. 꼬불꼬불 골목길만 달리는 차 때문일까 아니면 정체 모르는 이 매운 냄새 때문일까 갑자기 구토증이 일었다.

'이제 더는 여기 못 있겠다. 정말 빨리 내리고 싶다. 여기가 어디고. 언제 집에 도착할 수 있는 건데.'

아픈 가슴을 누르며 연신 머릿속에서는,

'내가 사는 나라는 분명 민주공화국인데……. 분명 학교에서 그렇게 배웠다 아이가.

국민 모두에게 주권이 주어지는 나라, 대통령이 정의 사회 구현을 위해 애쓰고 있는 나라, 자유와 평화를 수호하는 우리의 군인 아저씨들이 있어 평화스럽게 살아갈 수 있는 나라, 한강의 기적을 일으켰고 이제 곧 선진국에 진입할 나라, 올림픽을 곧

자랑스럽게 개최할 나의 나라, 멋진 우리 대한민국!'

고3인 내가 속한 저 언덕 위 우뚝 솟아 있는 감옥 같은 세상에서는 그렇게 배웠다. 그러하기에 내가 사는 나의 나라가 자랑스럽지 않았던가. 그런데 내가 알지 못하는 또 하나의 세상에서는……

마침내 우리 동네로 택시가 들어섰다. 얼마 동안 차를 타고 달렸는지 기억이 나지 않았지만, 아저씨도 언니도 모두 내렸다. 마침내 내가 내릴 차례가 되었다. 가까이 엄마가 보였다. 엄마가 다가왔고 마침내 난 엄마의 손을 잡을 수 있었다. 엄마의 따뜻한 손을 잡자 참을 수 없는 눈물이 쏟아졌다. 엄마는,

"뭔 일이고? 야가 와 이라노? 차에서 뭔 일이 있었나?

영아, 참말로 왜 우는데? 어디 아픈 기가?"

아무 말도 할 수 없었다. 가슴이 아픈 것과 아픈 가슴속에서 참을 수 없는 뭔가가 마구 올라오고 있음을 설명할 수 없었다. 그리고 멎지 않는 이 서러운 눈물의 이유를 도저히 말로 표현할 수 없었다.

엑설런트 드라이버

"Mrs. Park, take care of your body first, and then take your driving test."

"OK, thank you."

감독관에게 그렇게 말은 했지만 너무나도 아쉬웠다. 마음 같아선 다시 한번 더 기회를 달라고 조르며 애원하고 싶었다.

'저 잘할 수 있어요. 좀 전에 차선 변경 때 조금 지체한 것은 앞의 트럭 때문이었는데 다시 한번 더 기회를 주면 잘할 수 있답니다.'

안되는 영어로라도 손짓, 발짓하며 그를 설득하고 싶은 마음이 간절했지만, 감독관은 시험을 치는 내내 만삭인 나의 몸을 보며 불안해하는 것처럼 보였다. 역시 그는 내가 아이를 낳고 난 뒤 시험에 응하는 게 좋겠다는 의견을 피력했다. 하지만 그 순간에도 여전히 그를 붙들며 내가 꼭 이번에 운전면허를 따야만 하는 절박한 이유를 말하고 싶은 마음뿐이었다.

그날 남편과 30개월이 조금 넘은 어린 아들과 함께 도착한 샌프란시스코 하늘은 분명 쾌청했다. 사계절 중 딱 봄과 가을만 있다고 하니 무척이나 쾌적한 날씨와 온도 덕에 많은 사람이 살고 싶어 하는 미국의 대표 도시 중 하나로 인식될 만도 하였다. 그러나 이 맑은 날씨와 푸르른 하늘도 나에겐 아무런 감동이 되지 못했다. 비행기 안에서부터 시작된 계속되는 구토증과 극도의 피곤함이 온몸을 감싸며 제대로 몸을 가누기가 힘들었다. 처음엔 긴 여행 때문일 거로 생각했지만 시간이 흘러도 몸의 상태는 괜찮아지지 않고 더 힘든 상태가 지속되고 있었다.

  믿기지 않았지만 임신이었다. 너무나 놀라고 당황스러웠던 나는,
  '아니, 그럴 리가! 말도 안 돼. 절대 그럴 리가 없어. 뭔가 잘못된 거겠지.'
  병원에서 어렵게 시험관을 통해 겨우 아들을 얻은 나의 삶에 둘째 아이란 없었다. 더욱이 새로운 삶을 위해 다시 시작해야 하는 이 중요한 순간 생명을 몸에 품어야 하는 사실을 받아들이기가 쉽지 않았다.
  '하나님, 당분간 남편은 어려운 학업을 해내야 하고 나는 그런 남편을 도와야 하고 아직 어린 아들도 돌봐야 하는데……. 무엇보다 이곳에 이제 막 왔잖아요. 이 낯선 곳에서 우리에게 최소 적응 기간이라도 주셔야지요. 정말 이러시면 안 되는 것 아니에요?'

내가 믿는 하나님에게 마구 따지고 싶었다. 정말 그가 원망스러웠다. 이곳에 오기 전 남편과 내가 머리를 맞대고 계획했던 모든 것이 한순간 물거품처럼 사라져 감을 느꼈다. 막막하기만 한 현실 앞에 주저앉고 싶은 마음만 들었다.

"엄마, 배가 아야해? 엄마, 그러니까 많이 먹으면 안 되잖아. 내가 호호 해 줄게."

계속되는 입덧으로 변기통을 안고 사는 나에게 어린 아들은 등을 토닥거리고 배에 입을 대며 호호를 연신 불어댔다. 심한 입덧으로 물만 삼켜도 구토가 나왔다. 하지만 머릿속은 계속 먹고 싶은 것들만 떠올라 꿈속에서도 맛있게 무엇인가를 먹고 있었다. 고향 집 역 가까운 곳 매콤한 낙지볶음, 학교 옆 분식 가게의 딱 당면만 들어가 있는 튀김만두, 즐겨 가던 돈까스 집에서 먹었던 크림스프, 엄마가 요리한 매콤한 생선조림⋯⋯.

먹고 싶은 것은 죄다 한국에 있었다. 이 낯선 땅에서는 도저히 먹을 수 없는 것들만 떠올랐다. 고향이 그리웠다. 다시 그곳으로 돌아가고 싶은 마음에 눈물이 계속 흘러내렸다.

긴 어둠의 터널을 걷고 있는 듯한 시간이 흘러갔다. 하지만 터널 끝 빛을 향해 엄마라는 이름으로 무거운 몸을 다시 일으켜 세웠다. 우선 용기를 내어 운전면허 시험부터 도전하기로 마음먹었다.

이곳에서 운전은 선택이 아닌 필수로 운전 없이는 거의 독립적인 생활이 불가능하였다. 더욱이 앞으로 두 아이를 돌보며 살아가려면 이곳의 운전면허가 꼭 필요했다.

입덧이 누그러지자 바로 운전 수업을 시작했다. 단 한 번도 운전대를 잡아본 적이 없었던 나의 첫 운전 수업 날은 내 생애 최악의 날이었다. 첫날부터 바로 도로 주행이 시작되었다.

운전대를 잡은 손은 떨고 있었고 온통 긴장과 두려움으로 등에서는 식은땀이 흘러내렸다. 원어민 선생님의 설명은 도통 알아들을 수도 없이 그저 당황해하며 어쩔 줄을 몰라 하고 있었다.

"You have to be careful. Turn right and go straight.

Can I get your attention, please?"

"Turn left and check the stop sign, please double check……."

원어민 강사의 수없는 지시는 그저 허공에 울리는 메아리같이 귓가에 맴돌기만 했고 차가 움직이고 있다는 사실 자체가 무서웠던 나는 얼른 차에서 내리고 싶다는 생각뿐이었다.

생애 최고의 긴장감으로 숨이 막히는 듯한 시간이 흐르고 있었고 그런 나를 바라보던 강사 또한 긴장한 빛이 역력했다.

아기가 태어나기 전 반드시 운전면허증을 따야 했던 나의 간절함은 만삭이 된 순간에도 운전 연습을 멈출 수 없게 하였다.

미숙한 운전으로 급히 브레이크를 밟아야 하는 경우 놀란 나의 심장을 태아도 고스란히 느끼고 있음이 몸으로 전해졌다. 태아 또한 나의 운전 연습으로 인한 스트레스를 직접 받고 있음이 느껴질 때마다 마음은 몹시 아프고 무거웠다.

나의 강한 의지와 간절함과는 상관없이 첫 번째 운전면허 시험 도전은 실패로 끝났다.

그리고 곧 둘째 아이가 태어났다. 하지만 얼마 되지 않아 갓난쟁이를 뒷좌석 카시트에 앉힌 나는 또다시 운전대를 잡고 연습에 매진하였다. 아이가 울어도 아랑곳하지 않은 채 그야말로 독하게 운전 연습에 집중했다.

마침내 두 번째 운전면허 시험을 치던 날 남편은 갓난아이를 안고 나를 바라보며 화이팅을 외쳤다.

'아가, 이번에 꼭 합격할게. 엄마가 제대로 실력을 보여줄 거야. 떨지 말고 침착하게.'

감독관과 함께 도로 주행에 올랐던 나는 그동안 갈고닦은 실력을 차분히 보여주기 위해 애썼다.

전번의 실수를 기억하며 충분한 간격을 두고 차선을 변경하였고 보행자 중심의 운전으로 신뢰를 보였다. 감독관은 유심히 살피며

하나씩 하나씩 체크를 했고 나는 조심스럽게 그의 지시대로 운전을 해나갔다. 수십 번 연습하며 익혀왔던 도로는 이제 무척 익숙했고 마음은 편안했다.

마을 곳곳을 돌며 운전 연습을 하였던 탓에 좁은 길도 오르막길도 두렵지 않았다. 어디에서 속도를 줄여야 하는지, 어느 곳에 가면 Stop 사인이 있는지도 익히 알고 있었다.

또 Stop 사인이 있는 곳에서는 어김없이 차를 멈추며 좌우를 살피는 여유와 더불어 체크까지 철저하게 하는 아주 신중한 모습을 잊지 않았다.

후진해야 할 경우에도 백미러만을 의지하지 않고 확실하게 목을 꺾어 뒤를 확인하는 과정까지 빈틈없이 보이는 그야말로 미국 스타일, 그들이 원하는 바를 제대로 알고 꼼꼼히 운전하는 모습을 보여주었다.

드디어 시험이 끝나고 감독관은 내게 결과표를 건넸다.

"Mrs. Park, you're perfect. You are an excellent driver. Congratulations!"

100점이었다. 정말 믿기지 않은 나의 점수가 놀라웠고 또 한편 내가 무척 자랑스러웠다.

아이를 뱃속에 품고 긴장하며 운전대를 잡았던 수많은 시간이, 또 갓난아기를 울리기까지 하며 애썼던 많은 순간이 주마등처럼 눈앞을 스쳐 지나가며 마음이 뭉클해졌다.

집으로 돌아오는 길, 스스로에게 박수를 보내며 다짐했다.

'그래, 뭐든 할 수 있어. 다시 시작하는 거야. 엄마라는 이름으로…….'

여전히 낯선 곳 어두운 터널을 걷고 있었던 나는 마침내 한 줄기 빛을 발견하며 솟아오르는 희망을 끌어안았다.

두 개의 처음

박 노 랑

ⓒ 박노랑

끝이 가져다 준 처음
설탕처럼 빛났던 처음

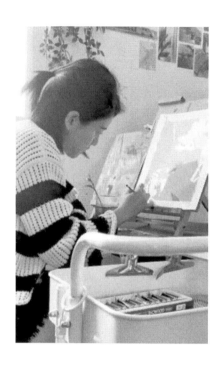

작가 소개 | 박 노 랑

INFP / A형 / 황소자리 / K-장녀

자기 이야기는 잘 하지 않는 착하고 얌전했던 딸이

롤러코스터처럼 오르락내리락하는 인생을 살다가

엄마가 되고 나서야 자신의 길을 찾고 있습니다.

끊임없이 도전하지만, 현실과 비현실 사이에서 여전히 갈등 중이네요.

주변 사람들에게 긍정적인 영향을 주는 사람이 되고 싶습니다.

끝이 가져다 준 처음

"있잖아. 우리 관계가 어떤 거 같아?"
"갑자기 그건 왜?"
"나 사실은. 다른 사람을 만났어."

여느 때처럼 다 같이 한잔하고 가는 길에 그가 전혀 예상하지
못했던 말을 꺼냈다. 기분 좋게 알딸딸해져서 딱 한 잔만 더하고
가면 좋을 것 같았는데... 이게 무슨 일이람. 너무 갑작스럽고
놀라서 뭐라도 내뱉어야겠는데 난 아무 말도 할 수 없었다.

"우리, 서로 시간을 좀 가질까?"
시간은 무슨 시간이야. 나 그런 거 안 키우잖아. 멍때리지 말고
뭐라도 좀 얘기해 봐.
"나 가는 사람 안 잡아. 잘 가. 안녕."

그게 우리의 끝이었다. 젠장.

그렇게 세상 제일 쿨하게 안녕을 말하곤 뒤도 안 보고 씩씩하게 걸어갔다. 아니, 내 발걸음은 울고 있었다. 짜증 나. 짜증 나. 짜증 나. 너 진짜 나빠. 왜 하필 지금이냐고. 그에게 내 뒷모습이 안 보일 만한 곳까지 왔을 때쯤 - 그는 아마 나를 보고 있지 않을 거다. 오히려 할 말을 해 버려서 가벼운 마음으로 돌아섰을 수도 있다. 안 보일 때까지 끝까지 봐주었으면 싶은 건 나겠지. - 나는 주저앉고 말았다. 그 앞에서는 '헤어져도 뭐 괜찮아~. 싫으면 말아라~. 왜 이제야 말했니.'라는 표정으로 돌아섰던 사람은 어디 가고 터져 나오는 눈물을 주체할 수가 없었다.

그를 놓은 날, 잡지 않은 건 난데 울기는 왜 그렇게 울었을까. 끝까지 쿨할 것이지. 그때 떠오른 곳이 제주도였다. 마지막 비행기도 탈 수 없었던 시간이라 가고 싶으면 집에 가서 자고 일어나 첫 비행기를 타고 가야 하는 게 맞다. 하지만 그때의 나는 지금 당장 어디든 가야 했다.

'부산에서 비행기를 타자!'

무궁화호를 타면 천천히 기차에서 밤을 보내고 아침에 도착할

테지만 시간이 늦어 기차도 이미 끝나버린 후였다. 택시를 잡아타고 강남고속버스터미널로 가서 김해행 티켓을 구입했다. 우울한 마음 한 봉지에 작게 반짝거리는 설렘 한 스푼을 담아 버스에 올랐다.

정신없이 자다 눈을 뜨니 버스가 김해 터미널에 도착하고 있었다. 창밖을 보는데 그때야 뭔가 잘못되었다는 것을 깨달았다. 새벽 김해 터미널 주변에는 찜질방이나 PC방은커녕 불 켜진 곳 하나 안보였다. 밤 비행기를 타는 사람들이 공항에서 노숙하던 장면이 생각나서 바로 택시를 타고 김해공항으로 갔다. 그런데 또 무언가 이상했다. 공항도 문 닫은 가게 마냥 깜깜했다. 나를 태워준 택시가 가버릴까 봐 뒤를 계속 돌아보면서 가지 마시라는 눈빛을 발사하며 공항으로 들어가려는데 문이 잠겨 있었다.

'저 좀 들여보내 주시면 안 될까요? 저 오늘 남친이랑 헤어졌단 말이에요! 문 좀 열라고!'

문을 두들겨도 봤지만, 내다보는 보안 직원조차 없었다. '아니, 공항은 24시간 열려있어야 하는 거 아니야? 어떡해!' 결국 울상을 한 채 나를 기다려 준 택시로 돌아왔다. 기사님께 제일 가까운 PC방으로 가 달라고 했다.

그때부터 실연 모드였던 나의 뇌는 바로 모험 모드 스위치가 커졌다. 우울한 감정을 밀어내고 눈을 반짝이며 제주로 가는 첫 비행기와 김포로 돌아오는 마지막 비행기를 예약했다. 다음은 렌터카. 장롱면허였던 나는 운전이 두려웠지만 일단 질렀다. 조금 많이 작은 차로. 면허를 따 놓길 참 잘했다.

어둠이 사라지기 시작할 때쯤 PC방에서 나왔다. 몇 시간 전에는 깜깜하고 아무도 없이 닫혀있던 김해공항이 사람들로 북적이고 있었다. 아침 일찍 사람들이 돌아다니는 활력있는 장면을 보면 나는 가슴이 두근거리곤 한다. 내가 꽤 부지런하고 괜찮은 사람이 된 것 같고 뭔가 좋은 일이 생길 것만 같은 기분이 든달까. 비록 실연당하고 씻지도 못해 상태가 영 안 좋았지만 짐 하나 없이 제주도 당일치기라니. 좀 신이 나는 걸?

드디어 비행기가 이륙했다. 가라앉았던 내 마음도 같이 떠올랐다. 혼자만의 여행도, 혼자 비행기를 탄 것도, 혼자 제주도를 간 것도 그때가 처음이었다. 눈부시게 화창한 날씨에 한쪽엔 금빛 유채꽃, 다른 한쪽엔 반짝이는 바다가 펼쳐진 해안도로를 여유 있게 운전하고 있을 내 모습이 눈앞에 그려졌다. 달리는 차 창문 너머로 들어오는 시원한 바람과 바다 내음이 벌써 느껴지는 것 같았다.

"승객 여러분. 이제 우리 비행기의 착륙을 준비하겠습니다. 현재 제주는 비가 내리고 있으며…."

　뭐라고? 비라니? 기분 전환하려고 가는 건데…. 이별했다고
날씨까지 울어줄 필요는 없는데…. 쨍쨍한 제주를 기대했지만,
기장님의 안내 방송대로 비 내리는 축축한 제주가 나를 맞이해
주었다. 비행기에서 상상했던 그대로의 비릿한 바다 냄새가 제주에
도착한 걸 실감하게 했다. 어둡고 우중충한 날씨가 내 상황과 너무
딱이라 기가 막혀 웃음이 다 났다.

　오늘 하루 나의 발과 물품보관소가 되어줄 조그만 차를 만나니
처음으로 내 집 장만을 한 사람같이 반갑고 설레었다. 운전면허
시험 이후로 처음 잡는 핸들이라 떨리는 마음으로 심호흡을 한 후,
조그만 차를 덜덜거리며 출발했다. 렌터카 주차장을 나서는 길이
앞으로 펼쳐질 새로운 인생 같아 비장함으로 배가 묵직해졌다.

　복잡한 시내를 지나면 운전 경험이 전혀 없던 내가 운전하기에도
어렵지 않은 해안도로가 나온다. 길을 달리다 마음에 드는 풍경이
보이면 차를 세우고 사진을 찍기도 하고 바닷바람을 쐬기도 했다.

　내가 운전을 하다니!
　갑자기 성취감이 폭발했다.

다니다 보니 비에 젖은 제주도 제법 마음에 들기 시작했다. 사실 비가 오면 진해지는 세상의 색감이 참 좋다. 유채꽃도 현무암도 바다도 비를 맞으면 한층 더 깊고 선명해진다. 자신의 존재가 지워지지 않도록 더 확실하게 각인시켜 주는 것처럼. 언젠가 지워질 걸 알지만 지워지기 싫다.

바다에 취해 서쪽 해안도로를 따라가다 렌터카 안에 비치되어 있던 관광안내 책자에 할인쿠폰이 있는 것을 보고 가는 길에 있던 초콜릿박물관에 들렀다.

빗살무늬토기를 엎어 놓은 것 같기도 하고 골무처럼 생기기도 한 탑 모양의 입구가 인상적이었다. 어두운 붉은 갈색의 건물 외벽은 제주 송이석이 아니라 초콜릿을 쌓아 만들었다고 해도 믿을 것 같았다. 아시아에서는 처음으로 세워진 초콜릿 & 카카오 전문 박물관이라고 하는데 제주도에서 카카오가 나는 것도 아니면서 초콜릿박물관은 도대체 왜 있는 건지…. 뭐 나 같은 사람들이 많이들 오겠지?

내부를 구경하는 내내 초콜릿 냄새가 나를 유혹했다. 한 입만 입에 넣고 싶어 죽을 것 같을 때쯤 기념품 가게가 나오고 초콜릿을 맛볼 수 있는 시식코너가 있었다. 달달한 초콜릿을 천천히 녹여 먹으니 기분도 살살 녹았다.

기념품 가게에는 고급스러운 초콜릿 말고도 아기자기한 소품들도 판매하고 있었는데 작은 호두까기 인형이 눈에 들어왔다. 괜히 그가 떠올랐다. 눈코입도 부리부리하고 머리도 큰 게 되게 닮았네, 쳇. 내가 생각해도 궁상맞았지만 예뻐서 사는 척 빨간 옷을 입은 호두까기 인형을 하나 골랐다. 처음엔 그를 떠올렸지만, 볼수록 예쁘고 정이 갔다. 그래, 잘 샀다.

어릴 때 가족여행으로 제주에 갔을 때 중문 해수욕장 쪽에 좋은 호텔들이 있었다는 게 생각이 났다. 어제 난 아주 힘들었으니까 좋은 데 좀 가줘야지 하고 별 다섯 개짜리 호텔 레스토랑에서 당당하게 혼자 점심도 먹었다. 내가 앉아 있던 테이블에 <꽃보다 남자 구준표와 하재경이 앉았던 자리>라고 팻말이 붙어 있었다. 재밌게 본 드라마 속에 나왔던 자리에 앉아 있다고 생각하니 오늘 운이 좋나 싶기도 하고 핫플레이스에 온 것 같아 들뜨기 시작했다.

배를 채우고 어디를 또 가볼까 하는데 팸플릿에서 탄산온천이 눈에 들어왔다. 일단 전날 씻지 못해 계속 찝찝했던 터라 내비게이션을 찍고 바로 출발했다.

탄산 온천이라길래 나는 모든 탕이 탄산으로 보글거리는 줄 알았는데 몇 개의 탕 중 한 개만 탄산이 있어서 조금 실망했다. 물속에 탄산을 머금어야 하다 보니 일반 탕보다 온도가 좀 낮아 미지근한 게 특이했다. 몸을 담그자 따뜻한 사이다에 들어온 기분이었다. 내 몸 주위로 수많은 방울이 다닥다닥 붙는 모습이 꼭 닥터피쉬가 각질을 먹으려고 발에 잔뜩 달라붙어 있는 것 같아 괜히 간지럽게 느껴졌다.

살면서 목욕탕 자체를 거의 간 적이 없었는데 그날은 왠지 때를 밀고 싶어졌다. 태어나서 처음으로 베드에 누워 남이 밀어주는 때밀이를 당해보았다. 까만 망사 속옷만 입고 계신 할머니들도 신기했고 남 앞에서 다 벗고 헤벌레 누워 있는 것도 너무 어색했다. 간지럼을 잘 못 참는 성격이라 때 미는 내내 움찔거렸지만, 엄청 시원했다.

미친 듯이 나오는 때로 지우개 열 개쯤은 만들고도 남을 것 같았다. 좀 창피하고 민망해서 "때 엄청 많이 나오죠? 제가 처음이라…. 하하." 했는데 세상, 이 정도는 아무것도 아니란 듯 대수롭지 않게 열심히 일하시는 세신사 할머니가 너무 편하게 대해주신 덕에 남자 친구랑 헤어지고 제주도에 혼자 당일치기로 왔단 스토리를 나도 모르게 줄줄 읊어대고 있었다. 세신사 할머니는 얘기를 들으시고 나쁜 놈한테 불쌍하게 차인 내가 안됐다고 생각하셨는지 단 한 점의 때도 남기지 않을 것처럼 꼼꼼히 때를 밀어주시고 서비스로 오일 마사지까지 해주셨다.

남친한테 차이고 혼자 제주도 목욕탕에 와서 벌거벗고 누워 때를 밀고 있는 상황이 생각할수록 넘 웃겼지만, 오랫동안 쌓여있던 각질만큼 속상한 마음마저 벗겨진 것 같아 제주에 오길 참 잘했다는 생각이 들었다.

가벼워진 마음으로 또 어디를 가볼까 지도를 폈는데 하늘이 급격히 깜깜해지고 있었다. 밤새도록 불빛이 꺼지지 않는 서울과는 너무도 다르게 제주의 밤은 매우 일찍 찾아오고 있었다. 빗방울까지 굵어지는 바람에 차선이 잘 보이지 않자 쩐 초보운전자인 나는 베스트 드라이버인 양 제주도를 달리던 낮과 달리 겁이 나기 시작했다. 아직 비행기를 타기까지는 시간이 한참 더 남았지만 이대로 운전하는 건 자신이 없어져서 조금 일찍 공항으로 가기로 했다.

조금이라도 빨리 가기 위해 돌아가는 길은 해안도로를 선택하지 않고 산을 통과하는 지름길을 택했다. 낮엔 차가 없어서 너무 좋았는데 어두워지니 차가 없는 게 더 무서웠다. 그래도 앞만 보며 달려가 시내에 들어왔는데 이번엔 퇴근 시간이 겹쳐 차가 너무 많아 운전이 힘들었다.

비는 더 거세지고 차선은 안 보이고 벌벌 떠느라 목과 어깨가 뻣뻣해지도록 긴장했으나 다행히 사고 없이 무사히 차를 반납할 수 있었다. 김포로 가는 비행기가 떠오르자 그제야 긴장이 풀렸다. 눈이 감기면서 어젯밤부터 지금까지의 순간들이 한 장 한 장 사진처럼 지나갔다.

난 20대의 마지막 봄에 러닝타임 24시간짜리 시트콤을 찍었다. 비록 시작은 아팠지만, 다음 화가 조금 보고 싶어졌다. 돌아가면 앞으로 무엇이든 도전할 수 있을 것 같기도 했다. 성취감과 자신감을 주었던 그때의 제주 여행은 나의 제주앓이에 5% 정도 지분을 차지하게 되었다.

설탕처럼 빛났던 처음

K는 밴드를 하는 뮤지션이었다. 홍대 앞 라이브클럽들은 저마다 색깔이 달라서 펑크록, 하드코어, 재즈, 포크, 모던록 등 밴드의 음악 성격에 따라 주로 공연하는 클럽이 따로 있었다. 잘 어울릴만한 기획공연에 K의 밴드를 처음으로 섭외했다.

공연 날, 처음 본 K가 생각보다 잘 생겨서 조금 놀랐다. 분명히 난 부리부리한 스타일 안 좋아하는데... 부담스러울 정도로 진한 이목구비에 실없는 개그를 치던 K가 계속 신경이 쓰였다.

K의 공연이 시작되었다. 여자 보컬과 남자 보컬이 몽환적으로 어우러지고 붉은빛의 조명이 참 잘 어울리는 사이키델릭한 무대였다. 무아지경으로 연주에 열중하는 무대 위 기타리스트는 참 섹시하다. 록커들이 괜히 여자들한테 인기가 있는 게 아닌가 보다. 관객은 그렇게 많지 않았지만, 에너지가 느껴지는 멋진 공연이었다. 나는

새롭게 발견한 보석에 가슴이 두근거렸다.

공연이 끝나고 같이 일하는 언니가, 친한 밴드가 근처 라이브클럽에서 공연한다며 인사도 시켜줄 겸 같이 가자고 했다. 마침, 거긴 K가 주로 공연하던 K의 아지트 같은 클럽이었다. 우리가 도착했을 땐 이미 공연이 끝나고 다 같이 뒤풀이를 하고 있었다. K가 있었고 놀랍게도 내 고등학교 친구 H도 있었다. H의 남자 친구가 밴드를 하고 있어서 공연을 보러 왔던 거였다. 언니가 친하다던 멤버가 H의 남자 친구였다.

홍대 앞 라이브클럽에 절대 올 일이 없을 것 같던 애를 거기서 보다니 신기하고 웃기고 어이가 없었다. 이렇게도 만난다며 일단 다들 너무 반가워서 신나게 맥주를 마셨다. H 덕분에 동갑이던 K와 나도 뮤지션과 기획자 사이에서 그날 바로 친구가 되었다.

어느덧 시간은 새벽 3시가 넘어가고 있었고 다 같이 취해있을 때 한껏 업이 된 나는 집에나 얌전히 갈 것이지 옆에 있는 K에게 말도 안 되는 소리를 던졌다.

"아~, 바다 보고 싶다~."

그 소리에 역시 한껏 취해있던 K가 얼굴이 발그레한 체 더 말도 안 되는 얘기를 속삭였다.

"지금 갈래?"

그렇게 둘은 말도 안 되게 그 자리를 빠져나와 택시를 잡았다.

택시 탄 지 10분도 안 되어서 내린 곳은 바다가 아니라 한강 다리 위였다. 다리 한가운데에 생뚱맞게 웬 공원이 있었다. 어두워서 잘 안 보였지만 입구에 선유도공원이라고 쓰여 있었고 방송국 앞에서 주로 보던 철문이 닫혀 있었다.

K가 내 손을 잡고 철문 쪽으로 뛰어갔다. 그 순간 슬로 모션이 걸린 영화의 한 장면처럼 우리는 장대높이뛰기 선수가 장애물을 뛰어넘듯 부드럽고 사뿐히 철문을 넘어 문 닫힌 공원 안으로 들어갔다.

가로등은 모두 꺼져서 어두웠지만 달빛이 선유도의 풀숲을 신비롭게 비춰주고 있었다. 아무도 없는 비밀의 숲 같은 공원을, 손을 잡고 걸어가는 건 파도 소리 외에 아무것도 보이지 않는 밤바다를 바라보는 것보다 훨씬 더 낭만적이었다.

공원 안쪽으로 좀 더 들어가자 사방이 갈대숲에 둘러싸인 공간이 나왔다. 이미 아무도 없는 공원이었지만 높게 자란 갈대에 가려 문 닫힌 공원에 무단 침입한 두 남녀를 아무도 볼 수 없었다. 바람도 잠시 숨을 죽인 그 순간 두 입술이 천천히 가까워졌다. 머리 위로 환한 달만이 그 둘을 내려다보고 있었다.

설렘 충만한 마음을 안고서 우리는 공원을 나와 다리를 건너 당산역까지 걸었고 K는 버스로 한 시간이 넘게 걸리는 우리 집까지 데려다주었다. 헤어지기 아쉬운 뜨거운 청춘들의 마음을 아는지 모르는지 아침 해가 밝아오고 있었다.

비현실적으로 아름답던 그날의 기억은 다음 날 없었던 일이 되어서 한동안 나를 힘들게 했지만 결국 우리는 다시 만나게 되었고 알콩달콩한 연애를 시작했다.

나랑 만난 이후로 K는 기존에 하던 밴드와 다른 새로운 프로젝트를 준비하고 있었다. 가사와 음악도 훨씬 대중적인 전혀 다른 스타일이었다. 그의 작업실에서 우리의 이야기가 음악으로 만들어지는 과정을 옆에서 지켜봤다. 나를 위한 노래라며 당신은 내 인생의 설탕이라는 달콤하고 사랑스러운 곡을 들려주기도 했다.

가사 하나하나가 어찌나 주옥같은지 아름다운 시를 보는 것 같았다. 그는 아티스트였고 나는 그의 연인이자 뮤즈였다. 누군가의 뮤즈가 된다는 것은 태어나서 한 번 겪을 수 있을까 말까 하는 찬란하고 황홀한 일이었다.

하지만 열심히 사랑해야 할 그 시기에 나는 회사 일로 너무나 바빠졌고 K가 나를 필요로 하는 순간에 함께하지 못할 때가 많아졌다. 일이 많아서 힘들었고 그를 힘들게 해서 더 힘들었다. 그를 충만하게도 외롭게도 만든 나 대신 그의 옆에 다른 그녀가 나타났고 결국, 우리에게 끝이 왔다. 그해 겨울 사랑과 설렘, 그리움으로 가득한 그의 첫 번째 앨범이 세상에 나왔다.

여전히 바쁜 와중에 쉬는 날 굳이 홍대에 커피를 마시러 나왔다. K가 드립커피가 제대로라고 알려주었던 그 카페는 인테리어가 세련되거나 힙한 곳은 아니었지만, 사장님이 커피에 진심이었다. 누군가를 만나다 보면 그 누군가의 단골집이 내 단골집이 되기도 한다. 헤어진 연인을 못 만난다는 사실보다 더 슬픈 게 사랑하던 단골집을 못 가게 되는 거라고 말하는 사람도 있다.

진한 커피 향을 느끼며 턱을 괴고 창밖을 보았다. 가로수를 잔뜩

붙잡은 봄이 마지막을 뽐내듯 유난히 반짝거렸다. 그때 눈앞에 K가 지나가고 있었다. 누군가의 손을 잡고. 카페 창문 너머로 느리게 버튼을 아홉 번쯤 누른 것처럼 천천히 걸어가는 커플을 내 눈이 따라갔다. 주인공을 잔뜩 미화시킨 청춘 드라마를 대형 TV로 보는 것 같았다. K는 꽤 짧은 반바지를 입고 있었는데 어찌나 환하게 웃고 있던지…. K를 만나는 동안 다리가 안 예쁘다고 반바지도 못 입게 했던 게 생각났다. 참 더웠겠네. 급 미안해졌다.

K의 밴드 멤버 하나가 결혼 소식을 알렸다. 신랑과 신부 모두 정말 착하고 귀여운 커플이었는데, 두 사람 분위기에 참 잘 어울리는 야외 결혼식이었다. 좋아하는 동생이라 직접 축하해 주고 싶었고 친했던 사람들도 오랜만에 한자리에 모이는 날이니 홀로 그 멀리까지 운전을 해서 결혼식에 참석했다.

사회는 K였고 축가는 신랑이 멤버로 있던 K의 밴드가 하게 되어 노래도 K가 불렀다. 간단한 음향 체킹 후 연주가 시작되었는데 설마 이 노래일 줄이야…. 이걸 남의 결혼식 축가로 듣다니.

"들어봐 봐. 땅콩양을 위한 노래야~."

앨범이 발매되기 전 K가 이어폰을 꽂아주고 처음으로 노래를 들려줄 때 그의 표정, 분위기가 아직 생생히 떠오르는데. 축가로 너무 잘 어울리는 게 더 황당했다. 앞으로 다른 결혼식 축가를 맡을 때마다 그 곡을 부를 각이었다.

푸른 잔디에 화창한 날씨에 예쁜 커플에 화기애애한 분위기에 달달한 축가에 모든 게 완벽했고 모든 사람이 즐거웠던 그 순간 내 주위를 둘러싼 시간의 벽 속에 스스로 갇혀서 잡고 있던 끈을 놓치기 싫어서 문을 걸어 잠그고 있는 내가 보였다. 그날, 난 드디어 문을 열고 나와 웃을 수 있었다. 그래도 나를 위한 노래가 됐네! 탈출 완료!

K를 만나고 내 인생 처음으로 아티스트의 뮤즈가 되어봤다. K의 음악을 들으면 나의 20대가 사라지지 않고 반짝반짝 빛나는 것 같다. 좋아하는 친구로, 아끼는 뮤지션으로 그의 음악 활동을 계속해서 응원한다. 이젠 오랜 팬으로서, 나의 가슴을 뛰게 했던 훌륭한 뮤지션 K가 앞으로도 계속 멋있기를!

별이 흐르는 길

정 충 영

ⓒ 정충영

작가 소개 | 정 충 영

26년간 해외영업이다 해외여행이다 한답시고 약 40개국을
돌아다녔습니다. 니코스 카잔차키스의 소설, '그리스인 조르바'를 읽고
스스로를 '호모 루덴스, 졸바맨'으로 부르기를 좋아합니다.
호모 루덴스는 '노는 인간' 혹은 '놀이하는 인간'을 뜻합니다.
로봇이 육체노동을 대체하고 AI가 정신노동을 대체함에 따라,
드디어 놀이와 창의의 시대가 도래하고 있습니다.
여행하며, 글 쓰며, 재미있는 사람들을 만나고, 제대로 놀며 일하는 삶을
꿈 꿉니다.

지은 책 :생계형 공과 남자의 인문학 공부 (2023), 다시 시작, 포르투갈 (2023)
　　　　 일곱 렌즈의 봄 (공저, 2024)
블로그 : https://blog.naver.com/ooyako88
이메일 : ooyako88@naver.com

1.　1990년 어느 가을

"나, 10월에 군대 간다." 민동훈이 말했다.

"뭔 소리래? 영장이 계속 밀려서 언제 갈지 모른다며?" 동훈의 초등학교 친구 병구가 뜻밖이란 표정이다.

"육군 영장이 안 나오길래 공군 지원했는데 붙었어."

"아하~. 그래서 군대 가기 전에 오랜만에 초등학교 반창회 한번 하자고 바람 잡은 거구먼. 그래야지. 이 형님에게 신고는 해야지." 반창회장 상수가 너스레를 떤다.

"좋겠다. 넌 면제라며?" 동훈이 상수를 부러운 눈으로 바라본다.

상수는 3대 독자다.

"그건 그렇고 반창회가 왜 이래? 간만에 소집했는데 겨우 아홉 명?" 한 녀석이 묻는다.

"그리게…. 야! 김영미, 명단 한번 읊어봐. 연락은 다 한 거야?" 다른 녀석이 영미를 압박하자, 반창회 총무인 영미가 짜증을 낸다.

"야! 자꾸 그럼 나 총무 때려치운다. 쟤는 학교 다닐 때는 나한테 입도 뻥긋 못하더니…. 많이 컸네. 너 그러다 누나한테 혼난다!"

"하하, 김영미 총무님, 참아. 우리 6학년 3반 애들 사십 명쯤 되지? 그런데 남자애들은 거의 군대 갔고, 지방대 간 애들도 많고⋯. 그런데 여자 동창들은 다 뭐하지?" 회장인 상수가 실태 파악에 나선다.

"인숙이는 아르바이트한다고 바쁘고, 연자는 유럽 배낭여행 갔고, 혜진이는⋯. 참, 너희들 혜진이 소식 들었니?" 영미의 반짝이는 눈빛이 이목을 집중시킨다.

"뭐?"

"혜진이 대학 떨어지고 지금 재수하는데 어디 아프다던데?"

"뭐라고?" 동훈의 목소리가 갑자기 높아진다.

"맞다. 민동훈, 너 예전에 혜진이 좋아했잖아." 영미가 눈을 흘긴다.

"뭔 소리야⋯. 누가 그래?" 동훈의 하얀 얼굴이 갑자기 붉어진다.

"누가 그러긴⋯. 너 기억 안 나냐? 편지 사건"

느닷없는 영미의 말에 동훈은 7년전 그 때로 타임머신을 타고 날아간다. 초등학교 6학년 때로⋯.

2. 나폴레옹의 편지

초등학교 때 동훈은 흙수저였다. 동훈이 사는 동네를 가로지르는 개천은 평소에도 악취가 심했지만, 특히 장마철이면 똥 냄새가 그렇게 심하게 났다. 개천가에 다닥다닥 붙어 있던 가난한 판잣집들이 '변소(화장실)' 똥물을 무단 방류한 거였다. 주변에 그렇게 가난에 찌든 사람들, 형편이 어려운 세입자가 많아서인지 집주인이었던 동훈은 무슨 은수저나 되는 줄 알았다. 하지만 학교에 입학한 후 부유한 몇몇 친구들을 보면서 동훈의 착각은 무참히 깨졌다.

동훈의 같은 반 여자애 중에 이쁘장하게 생긴 강혜진이라는 친구가 있었다. 아버지가 무슨 중견 건설사 사장이었고 걔가 사는 집은 담장이 무척 높은 단독 주택이었다. 그 애의 옷차림은 늘 깔끔하고 세련되었고 그 애의 옆을 지나면 늘 좋은 향기가 났다. 그리고 그 애는 피아노를 칠 줄 알았다. 당시 동훈이 다니던 초등학교에서 피아노를 칠 줄 아는 아이는 걔 한 명뿐이었다. 동훈은 이상하게 그 친구에게 끌렸다. 어느 날부터인가 동훈의 머릿속은 온통 그 애로 꽉 찼다. 꿈에 나타날 때도 있었다. 그런 자신의 모습이 싫었지만 그리고 자신이 왜 그러는지 몰랐지만 하루하루 괴로움은 커져만 갔다.

동훈은 공부를 잘했고, 줄곧 반에서 1등을 했지만, 숫기가 없었다. 말주변도 없었다. 하지만 백일장과 반공 글짓기로 단련된 그는, 글에는 자신이 있었다. 몇 날 며칠을 잠 못 이룰 때가 많았던 그는 마침내 터질 것 같은 마음을 어떻게라도 표현하지 않으면 미쳐버릴 것 같았다. 그래서 강혜진에게 편지를 쓰기로 마음먹었다. 문방구에서 꽃무늬 편지지를 샀다. 집에 와서 연필을 잡았다. 무슨 말을 쓰지? 걔가 편지를 읽고 뭐라고 생각할까? 근데 도대체 왜 내가 이걸 쓰려고 하고 있지? 별의별 생각이 꼬리를 물었지만 쓰지 않으면 심장이 터져 버릴 수도 있겠다는 공포감에 손목은 이미 움직이고 있었다. 몇 번을 썼다가 고쳤는지 모른다. 책상 위에 지우개 부스러기가 소복이 쌓여갔다. 다 쓴 편지를 소리 내 읽으려다, 엄마가 현관문을 여는 소리를 듣고 멈추었다. 그리고 마음속으로 쓴 편지를 읽어 내려가기 시작했다.

안녕. 강혜진.

이 편지 받고 혹시 놀랐다면 용서해 줘. 많이 생각하고 이렇게 편지를 쓰는 이유는 나의 진심을 전하고 싶은 마음 때문이야. 우리가 6학년 같은 반이 된 그날부터 네가 좋았어. 왜 그런지는 잘 몰랐지만 아마 너의 미소 때문이었던 거 같아. 말로 표현하는 것이 더 좋겠지만 네가 나를 어떻게 생각할지 모르는 상태에서 네가 당황할까 봐 이렇게 편지를 보내는 거니 이해해 줘. 앞으로 서로 이야기 나눌 수 있는 많은 시간이 있었으면 좋겠어.

동훈이가

편지를 읽고 나니 온몸에 소름이 돋았다. 뜨겁던 용기도 사그라들었다. 식은땀이 났다. 동훈은 계몽사에서 발간한 나폴레옹의 전기를 책꽂이에서 빼 들었다. 백마를 탄 채로 붉은 망토를 휘날리는 자신만만한 프랑스 황제의 얼굴이 내 얼굴로 바뀌었다. 갑자기 온몸에서 남성호르몬이 솟구치는 것이 느껴졌다. '그래 난 남자다.' 편지를 접어 봉투에 넣은 후, 풀로 봉한 다음 들고 밖으로 나갔다. 그리고 유럽의 어느 성처럼 느껴지는 그녀의 집 대문의 빨간 우체통에 편지를 집어넣고는, 마치 나쁜 짓을 한 아이처럼 내달려 집으로 돌아왔다.

3. 사랑의 라이벌

　다음날 동훈이 학교에 가자마자 본 것은 교실에 모여서 쑥덕대고 있는 반 여자애들이었다. 한 여자애가 동훈을 보자, 다른 여자애들에게 눈짓했다. 동훈은 쏘아보는 여자애들의 따가운 눈빛을 느꼈다. 그리고 충격에 빠졌다. 여자애들이 홍해 바다 갈라서듯 비켜서자, 강혜진이 보였다. 그녀의 책상 위에는 분명히 동훈이 어젯밤 연필로 몇 시간을 고민해 가며 끄적였던 꽃 편지지가 덩그러니 놓여있었다. 베드로가 예수를 세 번 부인했듯이 그는 그 편지지를 모른다고 부인하고 싶었다. 하지만 편지글 끝에 '동훈이가'란 글이 주홍 글씨처럼 주인을 증거하고 있었다. 얼굴이 화끈거리고 귓불에 열이 나기 시작한 동훈은 천천히 자기 자리에 앉았으나 머릿속은 하얬다. 애써 남자애들과 웃으며 농담했지만, 온 신경은 강혜진과 여자애들 쪽으로 가 있었다. 시간이 지나자 동훈의 머릿속은 혜진에 대한 분노와 저주로 가득 차기 시작했다.

　상수가 다가와서 놀리기 시작했다.
　"야~ 민동훈, 너 강혜진 좋아한다며. 크크크"
　"너 죽는다."
　"근데 어떡하냐? 너의 강력한 라이벌이 있는데."

"뭔 소리야?"

"저 앞에 태식이도 강혜진 좋아한대."

동훈은 아까 강혜진의 미친 편지 폭로 사건보다 상수의 이 말에 더 충격을 받았다.

"야, 한상수, 그게 무슨 소리야?"

"태식이가 지난 주말 강혜진이 피아노 콩쿠르 참가하던 날, 공연 끝나고 꽃다발 선물했다더라. 너보다 더 적극적이래."

"그래서 어쩌라고?" 동훈은 웃어넘기는 척했다. 하지만 속은 쓰라렸다.

태식은 공부는 중간이었지만 운동을 잘했다. 동훈은 자존심이 상했다. 하지만 동훈이 극단적으로 집요하지 않다는 것은 다행이었다. 그는 포기할 줄도 알았다. 열심히 공부한 덕에 반 1등은 물론 전교 1등까지 거머쥐었다. 공부를 넘사벽으로 잘했기 때문에 학교에서 그를 무시하는 애들은 없었다. 2학기 때는 반장 선거를 했는데 동훈과 태식이 맞붙었다. 근소한 표 차이로 동훈이 이겼고 반장이 되었다. 동훈은 부반장으로 리더십이 있는 김영미를 선택했고, 한상수는 오락부장, 강혜진은 미화부장을 시키기로 했다. 강혜진은 순순히 하겠다고 했다. 학급 모임을 하면서 혜진을 바라볼 때마다 여전히 가슴이 뛰기도 했지만 애써 침착하려고 했다. 혜진은 잘사는 집 자식 특유의 오만함과 세련됨이 있었고, 그 모습은 동훈이 원했던 마음의 평화를 방해했다. 혜진은 말이 많지 않았지만, 그녀의 옷차림과 찰랑거리는 머리카락은 많은 말을 했다. 하지만 학급 일이나 모임을 하면서 강혜진과 친해지기는 어려웠다. 그것이 차라리 동훈에게 잘된 일일지도 몰랐다. 흙수저를 벗어나야 한다는 생각은 동훈을 공붓벌레로 만들었다.

　가끔 학급 임원들만 모여 환경미화를 준비했다. 일이 끝나 모두 집에 가고, 강혜진과 민동훈 둘만 남을 때가 있었다. 그날은 혜진이 동훈에게 산수 문제를 물었다. 동훈은 별거 아니라는 듯이 풀이를 가르쳐 줬는데, 환한 미소를 지으며 혜진이 말했다.

　"역시 동훈이 네가 더 똑똑하네. 태식이는 못 풀더라."

　동훈은 어깨가 으쓱했고, 기분이 좋아졌다. 그리고 말했다.

　"어려운 문제는 나한테 갖고 와. 쉬운 문제는 태식이한테 묻고."

　의기양양해진 동훈은 내친김에 물었다.

　"강혜진, 너 김태식 좋아하냐?"

　"글쎄⋯. 뭘 그런 걸 묻냐? 그런데 동훈이 넌 공부 잘해서 좋겠다."

　"너도 공부 잘하잖아. 피아노도 잘 치고."

　"나도 너처럼 공부 잘했으면 좋겠다고, 이 바보야." 그러면서 가방을 챙겨 씩씩대며 가버렸다. 동훈은 황당했다.

4. 밤하늘의 오리온

그날 이후로 강혜진은 김태식과 더 친해진 듯했다. 태식은 어느 날 운동장에서 야구를 하고 있었다. 키가 가장 컸던 태식은 야구 모자를 쓰고 유니폼을 입고 있으니 정말 프로야구 선수 같았다. 태식의 집은 아주 부유하진 않았지만, 여유가 있었다. 야구같이 돈이 많이 드는 운동을 시키는 걸 보면 알 수 있었다. 운동장에는 많은 여학생들이 태식이를 응원하고 있었다. 투수인 태식의 공이 타자를 삼진 아웃 시켰다. 여자애들의 새된 비명이 들려왔다. 하지만 여자애들 그룹에 강혜진은 없었다. 동훈은 다행이라고 생각했다.

어느 날 반 급우인 손정현이 동훈에게 다가왔다.
"야, 반장, 혜진이랑 같이 롤러스케이트 타러 가지 않을래?"

손정현은 학습 부장이었다. 공부도 꽤 잘했지만, 학급 일에도 적극적이어서 반장인 동훈이 임원을 맡아달라고 했더니 쾌히 승낙한 거였다. 사실 학급 임원이 하는 일은 별로 없었다. 학급 임원이란 그저 담임 선생님이 시키는 일을 하는 몇몇 아이들이었을 뿐이다.

"혜진이 롤러 잘 타냐?" 동훈이 물었다.

"어 지난번 둘이 같이 타러 갔는데 잘 타더라고."

둘이 같이 타러 갔단 말에 동훈은 기분이 나빠졌지만 내색하지 않았다. 하지만 속은 부글부글 끓었다.

'강혜진 애 뭐야? 정현이랑도 사귀는 거였어?'

"아니 됐어~. 나 그날 엄마 일 도와줘야 해." 동훈은 거절했다. 정현은 아쉬워했다. 정현이 혜진이랑 얼마나 친한지는 모른다. 하지만 동훈은 마음이 아팠다. 한숨만 나왔다. 상처받은 비둘기가 된 기분이었다. 강혜진은 밤하늘의 오리온이었다. 붙잡을 수 없겠다는 생각을 했다.

있는 집 자식 특유의 희소성 있는 분위기는 그녀 주변을 점점 더 경쟁자로 둘러쌌고 그녀는 그 상황을 즐기는 듯했다. 그녀는 모든 남자애를 불가근불가원(不可近不可遠) 전략으로 대했다. 담임 선생님은 공부를 잘하거나 운동에 두각을 나타내는 엘리트들을 좋아했고, 그 애들만 모아서 따로 근교로 소풍을 가기도 했다. 강혜진이라는 태양 주위의 행성이었던 동훈, 태식, 정현 세 사람은 소풍 가서 서로 눈치만 보고 강혜진에게 적극적으로 대시하지 않았다. 마치 혜진을 바라만 보기로 암묵적으로 합의한 것 같았다. 그렇게 초등학교 6학년 일 년은 화살같이 지나갔다.

5. 뜻밖의 삐삐

생각에 잠겨 있던 동훈에게 총무인 영미가 말했다.

"너 혜진이에게 러브레터 쓴 거 혜진이가 다음날 반 애들에게 다 깠잖아. 기억나지?"

동훈은 잠시 당황했다. 오랫동안 무의식 속에 묻어둔 그날의 트라우마가 떠오르는 순간 자기 얼굴이 화끈거리는 것이 느껴졌다. 하지만 친구들은 동훈의 붉은 얼굴이 부끄러운 기억 때문인지, 달아오른 취기 때문인지 분간 못했다. 친구들은 초등학교 6학년 시절 서로의 기억 퍼즐을 맞추는 재미에 빠져 있었다. 그리고 이제 스무 살 민동훈도 그깟 유년의 기억으로 괴로워할 어린애가 아니었다. 마치 제삼자의 일 인양 유체 이탈 화법으로 소리쳤다.

"맞아, 혜진이한테 까였지. 하하. 그런데 걔 돌아이 아니냐? 혼자 읽으라고 준 걸 왜 너희랑 돌려봤을까? 지금 생각해도 참 황당하네."

"동훈아, 걔 돌아이 맞아. 지금 정신병원에 있다던데?" 영미가 눈을 크게 뜨고 말했다.

"뭐 정신병원?" 동훈이 갑자기 쉰 목소리를 냈다

"연대 아니면 안 간다고 해서 삼수까지 했는데, 돌아 버렸대. 고 계집애 공부 잘하거나 운동 잘하는 애들 하고만 양다리, 쓰리 다리 걸치며 사귀더니…. 걔 욕심이 이만저만 아니었잖아."

"그랬던가…." 충격을 받은 동훈은 영미에게 맞장구칠 기분이
아니었다.

"혜진이…. 너 말고도 사귀는 애 일고여덟이었는데 몰랐냐?"

"나…, 나랑 사귀긴 뭘 사겨. 학급 일 때…, 땜에 같이 지낸
거지." 동훈은 속마음을 들킨 듯이 말을 더듬었다.

"혜진이 걔 공부 못하는 애들은 대놓고 무시했잖아. 제가 뭐라도
되는 양." 총무 김영미가 입에 거품을 물고 성토를 해댔다.

"영미야, 뒷담화 그만해. 아프다잖아…. 그나저나 대학 간판이
뭔데 공부하다 미쳐 버리냐. 당최 이해가 안 된다." 상수가 말했다.

충격적인 소식이었지만 동훈은 내색하진 않았다. 하지만 혜진이
어쩌다 그렇게 된 건지 도무지 이해되지 않았다. 혜진이와 연락이
되는 친구가 있는지 물어보고 싶었지만 동훈은 용기가 없었다.
그리고 반 친구들에게 혜진이가 그렇게 나쁜 평판을 받고 있는지도
몰랐다. 너무나 뜻밖이었다. 동훈은 그날 꽤 많이 마셨다. 친구들과
헤어져서 집에 어떻게 들어왔는지 기억이 나지 않았다.

다음날 삐삐로 모르는 전화번호가 하나 떠 있길래 동훈은
의아해하며 전화를 걸었다.

"여보세요"

"여보세요…."

"혹시 실례지만 누구신지요?"

"너 동훈이지? 나 혜진이야. 나 기억하니?"

"어? 엇…." 동훈은 순간적으로 말문이 막혔다.

"잘 지내지?"

"나? 어. 잘 지내지…. 너…, 너는?"동훈은 말을 더듬었다.

"동훈아. 시간 되면 우리 내일 만날까?"

갑자기 동훈의 심장이 쿵쾅거리기 시작했다.

"어? 내일? 어…. 내일이라…. 음 좋아…. 어디서?"

"신촌에서 보자."

"그래, 좋아."

만날 장소를 정하는 대화 내내, 동훈은 자신의 심장 소리가 상대방에게 들릴까 봐 조마조마했다. 혜진이 자기 번호를 어떻게 알았는지, 왜 갑자기 자신을 보자고 하는지 이유도 물어보지 못하고 전화를 끊었다. '정신병원에서 탈출한 걸까? 목소리는 멀쩡했는데. 7년 만에 만나는 건데 얼마나 변했을까….' 그날 동훈은 잠을 잘 이루지 못했다.

6. 달콤한 재회

만나기로 한 신촌의 어느 주점에 먼저 도착한 동훈은 혜진을 기다렸다. 약속 시간 6시에서 10분이 지나서야 그녀가 나타났다. 점점 다가오는 그녀는 비현실적이었다. 동훈의 눈이 빛났다.

"반갑다. 민동훈." 그녀가 먼저 손을 내밀며 인사했다.

"와. 오랜만이다." '하나도 안 변했네'라는 가식적인 말을 하기엔 혜진은 많이 변했다. 어릴 때 모습이 남아 있긴 했지만 키도 커졌고, 화장을 해서 그런지 성숙함이 느껴졌다. 하지만 브라운 빛깔의 눈은 왠지 초점이 없는 듯했다.

"응, 오랜만이네. 너 연대 다닌다며…. 어릴 때부터 공부 잘하더니 좋은 대학 갔네…."

"응, 근데 내 번호는 어떻게 알았냐?" 가급적 대학 얘긴 하고 싶지 않아 동훈은 말을 돌렸다.

"민정이가 알려줬어."

"아. 그랬구나." 엊그제 반창회 때 업데이트된 연락처들을 다 공유했는데 참석한 민정이가 그걸 혜진에게 알려준 모양이다.

"동훈이 너 연대 다니더니 얼굴도 잘 생겼네."

"하하, 대학이랑 얼굴이랑 뭔 상관? 어제 이발소 갔다 와서 그런가?" 동훈은 혜진의 당돌한 질문에 당황하면서도 그냥 웃어넘기려고 했다.

동훈은 한때 유년 시절 짝사랑했던 여인이 바로 자기 앞에 앉아 있다는 현실이 믿어지지가 않았다. 혜진의 표정은 우수에 차 있었지만 아름다웠다. 가끔 얘기하다 창밖을 멍하니 바라볼 때가 있었는데 그럴 때는 알 수 없는 슬픔이 느껴졌다.

"너 나 많이 좋아했지?" 갑자기 혜진의 훅 들어오는 질문에 동훈은 침을 삼켰다. 뭐라고 답해야 할지 난감했지만, 이제는 당당하게 고백해도 될 나이라는 생각이 들었다.

"그랬지…. 너 내가 준 편지 기억나냐?"

"응 기억나. 편지 고마웠어. 그리고…. 있잖아. 나도 너 좋아해."

'헉 이건 뭐지?' 7년 만에 만나자마자 나한테 사랑 고백이라니…. 동훈은 순간 혼란에 빠졌다.

어색한 상황을 피하려고 동훈은 웨이터를 불러 음식을 주문했다. 그리고 참이슬 한 병을 시켰다. 엊그제 과음해서 컨디션이 좋지 않았지만 술이 당겼다. 혜진은 술을 못 먹는다고 했다. 동훈은 한잔 두잔 소주잔을 꺾었고 오르는 취기와 비례해서 말이 많아졌다.

"참, 혜진아, 나 두 달 후 군대 간다."

"정말? 그럼 내가 면회 가도 돼?"

"강원도 전방으로 갈 수도 있을 텐데 와 줄 수 있어?"

"응. 갈게."

알코올 기운에 정신은 점점 몽롱해졌지만 다행히 동훈은 혜진에게 삼수나 정신병원 얘기는 꺼내지 않았다. 대화하는 동안 그녀의 정신은 멀쩡했고, 옷차림을 보면 정신병원을 탈출한 것도 전혀 아니었다. 부유한 집안에 예뻤기 때문에 반 친구들의 부러움과 질투가 풍문을 만들어낸 거였다.

"혜진아, 그럼, 우리 사귀는 거지?" 동훈은 취기에 알딸딸해져서 확인 사살을 했다.

"그러자. 그럼 이제 우리 애인 사이네. 호호호." 웃는 그녀의 초승달 눈과 보조개가 이쁘게 변했다. 그리고 동훈을 지그시 바라보던 혜진이 동훈의 입술을 훔쳤다. 달콤했다. 그리고 이렇게 말했다.

"우리 집에 가자."

'헉, 집에까지? 이거 너무 진도가 빠른 거 아냐?'

하지만 동훈은 혜진을 거부할 수 없었다. 7년 만에 되찾은 사랑이다. 그 사랑의 힘으로 힘든 군대 3년을 견디리라. 계산을 하고 주점 밖으로 나온 동훈의 머릿속에 불꽃축제가 펼쳐졌다.

택시를 타고 같이 그녀의 아파트로 갔다. 용산의 고급 아파트였다. 부모님과 같이 살고 있다고 했다. 동훈은 약간 부담스러웠지만 술김에 용기를 내기로 했다. '그래 장인어른과 장모님께 예비 사위로 미리 인사를 드리는 것도 나쁘지 않지….'

"혜진아 혹시 근처에 편의점 있니?"

편의점을 들러 가그린을 사서 급하게 양치했다. 술 냄새로 첫인상을 망치고 싶지 않았다.

"엄마, 내 친구 민동훈."

"어머니! 안녕하세요. 혜진이 친구 민동훈이라고 합니다!" 동훈은 자신 있게 인사를 했다.

"어서 와. 저녁은 먹었지? 과일 깎아줄게." 중년의 고운 얼굴을 한 혜진의 어머니가 반갑게 맞았다. 혜진의 어머니는 동훈에 대해서 아무것도 묻지 않았다. 관심이 없는 건지, 불편하지 않게 하려는 배려인지 알 수 없었다.

혜진이 동훈에게 자기 방으로 가자고 했다. 수년 만에 만난 여자 동창과 저녁 한번 먹고 어머니께 인사한 후 바로 그녀 방에 들어가는 상황이 동훈에게는 무척 어색하게 느껴졌다. 혜진의 방, 그녀의 침대에 둘이 나란히 앉았다. 혜진이 갑자기 동훈에게 또다시 키스 세례를 퍼부었다. 순간 동훈은 당황했다. '밖에 어머니가 계시는데 얘 지금 왜 이러지?'라는 생각이 들었다. 갑자기 모든 게 불편해지기 시작했다. 키스하다 말고,

"혜진아. 미안한데 나 가봐야겠어."

"민동훈, 왜?"

"음. 밤도 늦었고…."

"지금 8시 밖에 안 됐는데."

"그…. 그러네…."

"씨팔, 내가 싫어졌어? 서울대도 못 간 내가 부끄러워?"

"혜진아, 그게 무슨 말이야!" 서울대 얘길 꺼낸 적도 없는데 욕설을 내뱉는 얘가 도대체 왜 이러나 하는 생각에 방금 전 로맨틱한 분위기는 눈 녹듯 사라져 버렸다.

"아냐 괜찮. 가고 싶으면 가. 밤이 너무 늦었지?" 혜진의 눈빛이 다시 초점을 잃고 멍때리기 시작했다.

"혜…, 혜진아 정말 미안, 나 갈게."

동훈이 혜진의 방에서 급히 나오려는데 과일 쟁반을 들고 문을 열고 들어오려던 혜진의 어머니와 부딪힐 뻔했다.

"아니 벌써 갈려고?"

"아, 예…. 죄, 죄송해요…."

동훈은 도망치듯 그 아파트를 빠져나왔다. 까만 밤, 희미한 가로등 아래를 지나면서 이상하게 눈물이 났다.

7. 손정현과의 조우

한 달쯤 후, 초등학교 동창 상수와 규석이를 만나 소주 한잔하기로 했다. 홍대 입구 한 연탄 삼겹살집이었다. 자욱한 연기와 소음 속에 상수의 목소리가 외쳤다.

"야, 민동훈, 군발이 되기 전에 기분이 어떠냐?"

"우울하지 뭐."

동훈은 정말 우울했다.

"넌 뭐 여자 친구도 없으니 고무신 거꾸로 신는다고 탈영할 일은 없겠네. 크크크." 규석이가 놀려댔다.

"나 며칠 전에 혜진이 봤다." 동훈이 술김에 조심스럽게 얘길 꺼냈다.

"잉? 고뢰?" 상수와 규석이가 놀란 눈으로 동훈을 쳐다봤다.

그때 상수가 식당 입구 쪽을 바라보며 외쳤다.

"야. 정현아, 여기야!"

"와! 오랜만이다 모두"

"엇, 손정현, 너 진짜 진짜 오랜만이다." 동훈이 놀란 눈으로 정현을 쳐다봤다.

"민동훈, 너 군대 간다며. 축하해 주러 왔다." 정현이 손을 내밀며 말했다.

"며칠 전에 싸이월드로 연락이 돼서 오늘 불렀다. 민동훈 군대 가기 전에 내가 초등 동창들 한 번씩 다 소집한다. 오늘은 동훈이 네가 쏴!" 상수는 오지랖 넓은 반창회장이다.

초등학교 졸업 후 한번도 본 적 없는 정현과 근황 토크를 했다. 그는 재수해서 수도권 지방대 법대에 다니고 있다고 했다. 빈 소주병이 한 병 두 병 늘어갔다.

"아 참, 너 혜진이 만났다는 얘기 계속해봐." 상수가 말했다.

"어 한 달 전에, 우리 반창회 한 다음날 혜진이가 갑자기 삐삐를 쳤더라고. 같이 술 한잔했지." 동훈의 이 말에 정현의 낯빛이 어두워졌다. 하지만 동훈은 눈치채지 못했다.

"너희도 알다시피 혜진이가 나 좋아했잖아." 동훈이 웃으며 얘기했다.

"무슨 소리야. 옛날에 네가 러브레터 보냈다가 개쪽 당했잖아. 크크크." 규석이가 놀렸다.

"그땐 그랬지, 하지만 걔가 한 달 전 술 먹으면서 나한테 고백하더라. 나 좋아한다고." 동훈이 자랑스럽다는 듯이 말했다.

"야, 영미가 걔 정신병원에 있다고 하지 않았냐? 병원에서 탈출한 거냐?" 상수가 이해할 수 없다는 표정으로 말했다.

"병원은 무슨…. 하지만 정상은 아닌 거 같더라. 돌아이가 맞긴 맞아." 취기가 오른 동훈의 눈은 빨개져 있었다.

그때였다. 갑자기 동훈의 눈에 불이 번쩍했다. "윽!" 외마디 비명을 지르며 동훈이 의자 뒤로 벌렁 나자빠졌다. 주먹으로 강타를 당했고 그 주먹의 주인이 손정현이라는 사실을 깨달은 건 5초도 지나지 않았다.

"야! 손정현 너 왜 이래! 미쳤냐?" 상수가 외쳤다. 식당에서 시끌벅적하게 술 마시던 사람들이 일제히 쳐다봤다.

"아, 아무것도 아니에요…. 예…. 아무것도 아닙니다." 규석이가 썩은 미소를 지으며 주변 사람들에게 양해를 구했다.

맞은 머리를 쓰다듬으며 동훈이 말했다. "와~ 황당하네. 씨발. 너 날 친 이유가 뭔지 한번 설명해 봐. 이해 가게끔 설명해라. 안 그러면 너 오늘 죽는다."

"야 이 새끼야! 너 혜진이 갖고 놀았냐? 걔 아픈 애야." 눈빛을 이글거리며 정현이 말했다.

"이 새끼가. 뭔 귀신 씨나락 까먹는 소리 얏!"

"혜진이가 나 얘기 안 하든? 혜진이 나랑 사귄 지 3년 됐다. 이 자식아…."

"…." 처음에 동훈은 뜻밖이라는 표정을 지었다가 이내 비웃음이 떠올랐다.

"오~ 그랬어? 몰랐네. 근데 왜 걔가 날 집에까지 초대했을까?"

"너 걔한테 뭔 짓 했어?"

"뭐 했냐고? 크크크 상상에 맡길게."

정현이 갑자기 동훈의 멱살을 잡았다. 상수와 규석이 둘을 뜯어말리지 않았다면 식당 주인이 아마 경찰에 신고했을지도 모른다. 상수가 서둘러 계산하고 네 명은 2차로 치맥 집을 갔다.

8. 강혜진 이야기

　민동훈은 손정현의 얘기를 묵묵히 듣기만 했다. 정현과 혜진이 초등학교 졸업 후 다시 만난 것은 고2 때였다. 구립 도서관에서 우연히 만나 둘은 다시 친해졌는데 그즈음 혜진의 집에 불행이 닥쳤다. 혜진 아버지의 건설사가 파산했고 혜진의 집은 풍비박산이 났다. 아내 명의로 빼돌린 용산의 집만 겨우 살렸고 나머지는 빚 갚는 데 모두 탕진했다. 매일 술을 먹고 들어오던 아버지는 혜진에게 말했다.

　"넌 무조건 서울대 들어가! 그래서 이 아비의 복수를 해다오. 정치 자금 상납 안 했다고 미운털 박힌 나를 서울대 출신 검사, 서울대 출신 국세청 직원을 이용해서 날 이렇게 파멸시켜 버렸다고. 혜진아, 넌 꼭 서울대 가야 한다! 서울대에 꼭 가란 말이다!!!"

　하지만 아버지의 계속되는 이 말은 고2였던 혜진에게 너무도 큰 부담과 스트레스를 주었다. 그녀는 성적이 오르지 않는 자신을 자책하기 시작했고, 하루하루 자기만의 방에 갇혀 버리게 되었다. 손정현은 강혜진을 그 방에서 꺼내려고 무진 애를 썼지만 불가능했다. 재수까지 실패한 혜진은 이상행동을 보이기 시작했다. 과거 초중고 시절 공부 잘했던 애들을 연락해서 만나기 시작했다. 만난 애들은 처음에 그녀의 이상을 감지하기 어려웠다. 하지만 그녀와 얘길

하면 할수록, 행동을 보면 볼수록 누구나 그녀가 마음의 병이 깊다는 걸 알아차릴 수 있게 되었다. 마침내 혜진의 어머니는 그녀가 정신과 치료가 필요하다는 걸 느끼게 되었고 같이 병원을 다니기 시작했다. 그녀의 망가지는 모습에 가장 속이 상했던 사람은 남자 친구였던 정현이었다. 그는 깊은 좌절을 느꼈다. 지방대를 다니던 정현은 혜진을 돌볼 수 없었다. 묵묵히 정현의 이야기를 경청하던 동훈이 입을 열었다.

"손정현, 나 한 대만 더 때려주라."

9. 별이 흐르는 길

민동훈에게는 극도의 자기혐오가 생겼다. 두 달 동안 술독에 빠져 살았다. 입대 영장이 그를 살렸다. 제대 후 복학했고 열심히 공부해서 국내 굴지의 전자회사에 입사했다. 좋은 사람과 결혼했고 2세를 낳았고 행복했다. 어느 날 동훈은 해외 출장을 떠나기 위해 대한항공 라운지에서 화이트 와인을 한잔하며 쉬고 있었다. 스마트폰으로 페이스북을 하고 있는데 '알 수도 있는 사람'에 익숙한 이름 석 자가 떴다.

'강혜진'

선글라스를 낀 것도 아니고, 실루엣만 올린 사진이 아닌 증명 사진 같은 얼굴 사진이었다. 반가웠다. 좀 변한 것 같았다. 이제 중년 여인이었다. 초등학교 6학년 때 얼굴, 졸업한 지 7년 후 봤던 얼굴 그리고 지금 얼굴이 겹쳤다. 비행기 보딩 안내방송이 흘러나왔다. '친구 추가' 버튼으로 동훈의 손가락이 움직였다. 손가락을 잠깐 멈추고 양복 재킷을 입고, 여행 트렁크 손잡이를 잡았다. 라운지를 떠나 게이트로 천천히 걸어가기 시작했다. 한때 혼자 사랑했던 사람, 지켜주고 책임진 적이 없었던 사람, 그래서 죄책감과 불편함이라는 기분 나쁜 감정을 그에게 일으키는 사람….

　우주의 별들은 궤도가 있다. 흘러가는 길이 있다. 별이 서로 만나는 것은 재앙이다. 자기만의 길로 흘러야 한다. 그것이 별의 운명이다.

　동훈은 한숨을 크게 한번 쉬고, '알 수도 있는 사람'의 '삭제' 버튼을 꾹 눌렀다. 그리고 눈가에 맺힌 작은 물방울을 손등으로 훔쳤다.

코로나로 바뀐 나의 일상 이야기

정 형 일

취식이 금지된 요리 수업
친구들과 함께하는 랜선 통독 여행
온라인 독서모임

작가 소개 | 정 형 일

100세 시대에 인생 후반전을 슬기롭게 보내고 싶은 50대 중반 두 자녀의 아빠입니다.

퇴직 이후 무엇이 나의 삶을 행복하게 할지 새로운 일을 도전해 보고 있는 중이고 무엇보다도 아내와 각자의 시간도 존중하면서 함께하는 시간도 재미있게 보내기를 연습하고 있습니다.

그러던 과정에서 요리도 배우고 독서모임도 하고 주말마다 아내와 산책도 하면서 하루하루 재미있게 살아가고 있네요.

이 책도 그 과정에서 만들어지게 되었네요.

프롤로그

2020년 2월 나는 베트남 출장 중이었다. 출장 중 베트남에서 한국인의 입국을 통제한다는 뉴스를 들었다. 한국의 코로나19 확산이 심각하여 자국으로의 입국을 금지한다는 것이다. 국가 간의 교류가 통제되기 시작했다.

곧 코로나로 확진된 사람들의 동선을 추적해서 지도에 표시해주고 그곳을 방문하지 않도록 도와주는 앱이 개발되었다는 뉴스를 들었다. 코로나로 개인 간의 교류가 통제되기 시작했다. '사회적 거리 두기'라는 용어가 생겨났고 그해 말엔 5인 이상 사적 모임이 법적으로 금지되기도 했다.

마스크 사용이 의무화되고, 마스크 대란이 발생하여 마스크 구입이 어려워지자, 국가에서 '공적 마스크'란 이름으로 약국에서 판매하면서 개인당 1주일에 구매를 3개로 제한하는 지금 생각하면 말도 안 될 것 같은 정책도 시행되었다.

이렇게 코로나는 우리를 사회적으로 단절시키며 성큼성큼 무섭게 다가왔고, 전 세계에 700만 명 이상의 사망자를 내고 난 뒤 2023년 1월 말 실내 마스크 착용 의무가 해지되며 조금씩 멀어져 갔다.

우리 모두 처음 겪어본 그 3년 간의 코로나 시대에 나의 삶에 새로운 경험으로 다가왔던 일상을 나누고자 한다.

취식이 금지된 요리 수업

    은퇴 후 남는 시간 무엇을 하며 시간을 보내야 하나 고민하던 중에 한국에 있는 외국인들에게 한글을 가르치는 일을 하면 어떨지 하는 생각을 하게 되었다. 외국에 몇 년 살았던 경험으로 볼 때 그 나라의 언어를 배우는 것이 가장 빨리 적응하는 방법이라고 생각하기에 보람을 가지고 내가 도울 수 있을 것으로 생각했다. 인터넷 검색 결과 외국인들에게 한글을 가르치려면 '한국어교원 자격증'을 취득해야 했고, 이를 위한 학원이 있어서 연락을 해보니 '내일배움카드'를 먼저 만들어야 한다고 했다.

    '내일배움카드'란 일정 자격 요건을 갖춘 구직자나 근로자가 필요한 직업기술을 배울 수 있도록 교육비를 지원해 주는 카드였다. 결국 여러 가지 검토 끝에 '한국어교원 자격증' 관련 수업을 듣지는 않았으나, '내일배움카드'로 배울 수 있는 수업을 찾아보다가 요리 수업에 관심을 가지게 되었다.

노후에 자녀들이 떠나고 아내와 둘만 살게 되면 나에게 가장 도움이 될 수 있는 것이 요리일지 모른다는 생각이 들었고, 지루한 일상에 조금 다른 활력을 줄 수 있을 것 같아 집에서 가장 가까운 요리학원에서 회사 생활에 영향이 없는 토요일 오후에 10주간 진행되는 '기초 한식 혼밥 요리과정' 수업을 등록하게 되었다. 요리 수업에서 요리를 하게 되면 음식을 맛보며 서로 음식평도 하는 것이 일반적이다. 하지만, 코로나로 인하여 처음으로 강사님을 포함하여 수강생 모두 마스크를 쓰고서 수업을 진행하게 되면서 수업 중에 음식 섭취가 금지되고 요리 수업을 통해서 만든 음식을 모두 집으로 가지고 가서 취식하는 방식으로 바뀌게 되었다. 이러한 변화는 나에게는 긍정적인 면으로 작용하게 되었다. 토요일 오후에 수업을 재미있게 들으며 열심히 만든 음식으로 토요일 저녁 가족 식사를 대신할 수 있으니 저녁 준비를 하지 않아도 되는 아내도 좋아하고 또 집에서 매번 먹던 것과 다른 조금은 색다른 음식을 맛볼 수 있으니, 처음에는 의심의 눈초리로 바라보던 다른 가족들도 좋아하였다. 그렇게 Win-Win 구도가 정리되면서 이 요리 수업에 참여하는 것에 대한 지속가능성이 만들어졌다.

처음으로 등록한 수업은 집에서 가까운 곳의 '기초 한식 혼밥 요리과정'이었다. 함께 수업을 듣는 학생 수는 10명 내외였다. 초급과 혼밥이라는 단어 때문이었는지 자취를 하는 젊은 친구들이 많았는데, 인상적인 점은 남자, 여자 친구가 같이 참여한 경우와 결혼한 지 얼마 안 된 신혼부부가 같이 참여한 경우였다. 남자, 여자 친구가 같이 요리 수업을 듣고, 신혼부부가 같이 요리를 배운다는 것이 신선하기도 했지만, 육아를 포함한 모든 가정의 일들을 부부가 같이하는 시대의 흐름이 느껴졌고 좋은 방향인 것 같은 생각이 든다.

요리 수업에 대해서 간단히 설명을 하면, 내가 수강했던 직장인이 참여하기 용이한 주말에 진행되는 요리 수업은 보통 토요일이나 일요일 오전 또는 오후에 4시간 과정으로 개설이 되며 보통 한번 수업에 두세 가지 정도의 요리를 만들게 된다. 재료는 다 준비되어 있어, 재료 손질 과정부터 시작해서 설거지 및 자리 정리까지 하게 된다. 이때는 정말 재료가 다 준비되어 있다는 것이 요리의 절반은 완성되어 있다는 것을 몰랐다. 지금은 말할 수 있다. 요리의 반은 재료 준비이다!

수업 진행은 먼저 만들 요리에 대해서 강사님이 이론적인 설명을 하고, 재료 손질하는 방법을 설명과 함께 시연을 해준다. 그 뒤에 학생들이 미리 설명하고 보여준 부분까지 작업을 하게 되고, 나머지 부분 설명을 다시 듣고, 설명에 따라 마무리를 하면 요리가 완성이 된다. 수업을 참여해 보면 한국인의 특성이 잘 드러난다. 빨리할 필요가 없는데, 나를 포함하여 다들 마음이 급하다. 뭔가 서로 약간 경쟁하듯이 빠르게 완성하고자 하는 마음에 선행학습을 하듯이 열심히 참여하게 되고, 서로의 속도를 의식하게 된다. 그리고, 요리 하나 설명을 듣고 따라서 만들고 하다 보면 시간이 생각보다 잘 흘러간다. 한 가지 요리에 1시간 반 정도의 시간이 소요되고, 쉬는 시간과 설거지하고 정리하는 시간 등을 포함하면 전체 4시간이 어느새 지나가게 된다.

 첫 번째 요리 수업인 '초급 한식 혼밥과정'을 마치고 나니 왠지 모르게 요리에 대한 자신감도 생겼고, 요리를 하는 것이 재미있어졌다. 아마도 만드는 과정 자체도 재미있었지만, 내가 만든 요리를 맛있게 칭찬하며 먹어주는 가족을 보면서 더 자신감도 얻게 되었던 것 같다. 그래서 또 다른 요리 수업을 듣고 싶었고 이번에는 수업 과정을 선택할 때 가족들에게 수업에서 만들게 될 요리를 보여주며 어떤 수업을 들을지 선택하게 되었다.

 그리하여 내가 참여했던 요리 수업은 '카페 브런치 메뉴반', '양식 브런치 카페 실무과정', '심야식당 요리과정(분식+야식)', '중식 일품요리과정' 등이다. 브런치 메뉴에 대한 가족 만족도가 높아서 브런치 수업을 두 번 듣게 되었다. 요리학원도 여러 곳을 접하게 되었는데, 수업 비용은 거의 비슷하였지만 요리학원 별로 준비되는 재료의 퀄리티가 달랐다. 역시 요리는 재료의 퀄리티에 따라서 맛이 달라졌으며 규모가 큰 학원의 경우가 준비되는 재료의 종류와 양이 많았다. 아마도 식자재를 대량으로 주문할 수 있기 때문에 단가를 싸게 해서 그런 것이 아닐까 추정한다.

다양한 요리 수업을 들으면서 변하게 된 나의 모습에 대해서 이야기 하려고 한다. 우선 요리에 대한 두려움은 사라졌다. 막 뚝딱뚝딱 요리를 잘하지는 못하지만, 레시피 설명을 보면 대충 만들 수 있게 되었다. 그리고 양념만 제대로 따라 하면 맛도 중간은 간다는 사실을 알게 되었다.

아내가 아파서 요리를 못하게 된 적이 있었는데, 주도적으로 재료를 준비하고 요리를 만들어서 식사를 준비하지는 못했지만, 아내가 오늘은 어떤 재료로 뭘 만들어봐 하면 대충 만들어서 식사를 준비할 수 있는 정도는 된 것 같고 아내도 그간의 요리 수업 결과에 대해 합격점을 주었다.

그리고, 무엇보다도 가장 큰 변화는 요리하는 사람들에게 고마움을 표현할 수 있게 되었다는 것이다. 요리하기 위해서 들어간 수고를 알게 되었고, 맛있게 먹어주고 맛있다고 표현해 주는 것이 만든 사람에게 얼마나 힘이 되고 도움이 되는지 직접 만드는 수고를 해보니 알게 되었다. 내가 만든 요리를 맛있게 먹어주고 맛있다고 하는 한마디를 듣기만 해도 만든 수고가 기쁨으로 바뀌는 경험을 직접 해보고 나니, 맛나게 먹어주는 것, 그리고 맛있다고 표현해 주는 것의 중요성을 알게 되었다.

만든 사람의 노력과 수고를 알게 되니 만든 사람이 설거지까지

하게 하는 것이 얼마나 마음을 힘들게 만드는 것인지 알게 되었다. 그래서 요리 수업을 듣고 난 이후에는 아내가 요리를 하면 반드시 내가 설거지를 한다는 원칙 아닌 원칙을 세우게 되었고 가능한 한 그 원칙을 따르려 노력하고 있다.

무엇을 요리할 지 정하고, 필요한 재료를 준비하는 것이 요리하는 것보다 더 힘들다는 사실도 알게 되었고, 이 땅의 주부들이 오늘 저녁 무엇을 만들지 고민하는 그 고민을 조금이나마 공감하게 되었다. 아, 난 언제쯤 요리 준비 자체도 편해질 수 있는지 모르겠지만, 퇴직 후에 요리에 더 많은 시간을 들이고 아내와 일을 나누게 되면 조금씩 가능해질 것이라 믿는다.

앞에도 이야기한 것과 같이 코로나가 아니었으면 요리 수업 후 그 수업 시간을 들은 사람들과 음식을 나눠 먹고 서로 맛을 보며 평을 한다고 한다. 아마도 수업은 조금 더 재미있었을지도 모르고 같이 수업 듣는 사람들과 더 친해질 수 있었겠지만, 가족들에게 돌아가는 혜택이 없어서 계속 수업을 들을 수는 없었을 것 같다. 코로나로 인하여 마스크를 쓰고 수업을 해야 했고 심할 경우에는 수업시간 서로 거리를 두어야 했으며, 음식을 맛볼 수도 없었다. 하지만 그로 인해 음식을 집으로 가져가서 가족들과 함께 나눌 수 있었고 가족들의 응원에 재미있게 계속해서 다른 수업을 들을 수 있어서 모든 일에 있어서 부정적인 면만 있는 것이 아니고 긍정적인 면도 있으며 그 긍정적인 면을 어떻게 바라볼 것인가가 더 중요하다는 것을 다시 한번 깨닫게 되는 시간이었다.

그렇게 코로나 시대에 처음으로 도전했던 요리 수업은 2년 간 6개 과정을 듣고서 끝이 났지만, 퇴직 후에는 그때 못 들은 다른 수업도 도전해 보고, 요리 시간을 더 많이 가져 보고자 한다.

친구들과 함께하는 랜선 통독 여행

인류 역사상 가장 많이 팔린 책은 통산 70억 부 정도가 판매된 것으로 추정된다. 그마저도 집계 이전 및 무료로 나누어준 것까지 감안하면 그보다 훨씬 더 많은 사람이 이 책을 가지고 있을 것이다. 아마도 당신도 가지고 있는 책일지도 모른다. 내가 집에 가지고 있는 것도 한번 세어보니 10권은 되는 것 같다. 당신이 생각하는 그 책이 맞다! 바로 성경책이다. 하지만 그 성경책을 처음부터 끝까지 다 읽어본 사람은 얼마나 될까? 1%나 될까? 정확한 통계는 없지만 주변 분들과 이야기해 보면 생각보다 처음부터 끝까지 다 읽어본 경험을 가지신 분이 많지는 않다.

성경은 크고 작은 책들을 모아서 만든 큰 책이며, 구약 36권과 신약 24권 총 66권으로 이루어져 있다. 성경은 어떤 부분은 재미있기도 하고 신앙적인 의미도 많아 잘 읽히지만 전부가 그렇지는 않다. 특히 구약은 이스라엘의 역사가 대부분을 차지하고 있어서 나 같이 역사를 좋아하지 않는 사람에게는 조금 읽다가 포기하게 되는 경우가 많았다. 신앙생활을 한 지 꽤 된 나도 부끄럽지만, 최근까지는 처음부터 끝까지 성경을 다 읽어 보았냐는 물음엔 답을 할 자신이 없었다. 이 글에서는 코로나로 인하여 어떻게 내가 성경 통독을 시작하게 되었고, 현재도 계속해서 하고 있는지 그 이야기를 해보고자 한다.

해외에 나와 있던 나에게 대학 친구에게서 오랜만에 연락이 왔다. 대학 졸업 후 25주년이 되는 해에 같은 학번 동기들 전체가 함께 만나는 행사에 대한 정보였고, 행사 시점에 해외에 계속 거주하여야 했기에 참석은 어려웠지만 관련되어 여러 가지 내용을 전달받았다. 행사 이후에 취미 생활 등이 맞는 친구들끼리 골프, 등산, 합창 등 여러 가지 모임을 만들어서 운영하고 있다는 사실을 알게 되었다. 해외에서 한국으로 귀국한 후에 은퇴하면 회사가 아닌 여러 가지 모임들이 필요하다고 생각하게 되었고, 친구들의 모임이 생각이 나서 어떤 모임들이 있는지 물어보게 되었고, 그중에 가장 관심이 가는 두 모임 단체 카톡방에 초대를 부탁하게 되었다. 그때 가입했던 두 모임은 기독교인들의 모임인 '기도방'과 독서모임인 '오이독경'이었다. 그 후 두 모임에 참석하게 되었고, 대학교 시절에는 전혀 몰랐던 다른 과 친구들을 만나게 되고 단지 같은 학교를 같은 시기에 다녔다는 공감대만으로도 서로 너무 친하게 되었고, 함께 나누는 즐거움을 누리게 되었다.

그중에도 '기도방' 모임은 신선한 충격이었다. 동기들끼리 서로 존댓말을 하면 벌금이 있다면서 생전 처음 만나는 사람들과 서로 반말로 이야기를 나누고 오랜 세월 함께 알았던 사이와 같이 이야기하는 것이 처음에는 너무나 어색했지만, 조금씩 그 모임에 동화돼 갔고 언제부터인가 그 모임이 기다려지기 시작했다. 특히 늦게 신앙생활을 시작한 나로서는 신앙 친구들이 많이 없었기에 새롭게 시작된 친구들과 교제는 너무나도 신나고 즐거울 수밖에 없었다. 그렇게 재미있게 모임을 이어가던 중에 코로나라는 생각지도 못한 변수가 발생하고 말았다.

코로나 초기에는 얼마 지나지 않아 사라질 것 같았지만, 의료 쪽에 종사하던 친구의 이야기는 달랐다. 적어도 2~3년은 갈 거라고 이야기했다. 뭐라고! 이렇게 마스크 쓰고 함께 모임도 못하고 하는 시간이 2~3년은 간다고, 믿기지 않는 이야기였지만 결국 조금씩 그 말이 믿어져 갔다.

그렇게 우리는 어쩔 수 없이 온라인 모임으로 모임의 형태를 바꿔 갈 수밖에 없었고, 어색하기만 했던 온라인 미팅 프로그램을 이용해서 화면상으로만 얼굴을 보며 삶의 이야기를 나눌 수밖에 없는 답답한 상황이었다. 누군가의 아이디어로 온라인 기도회를 열어보았다. 찬송을 틀고 함께 노래를 부르는 데, 각자의 컴퓨터에서 음악이 플레이되는 시간에 차이가 생기니 돌림노래가 되어버리는 웃픈 상황도 발생하게 되었다. 그러던 중 언제 끝날지 모를 것 같은 코로나 팬데믹 시대의 모임의 미래에 대해 같이 이야기하는 시간이 있었다. 친구 중 한 명이 코로나로 인하여 집에 있는 시간도 많고 하니 이번 기회에 함께 성경 통독을 해보고 싶다고 이야기했고, 나도 지금까지 성경책을 처음부터 끝까지 읽어본 적이 없었기에 좋은 기회라고 생각했다. 다행히 한 친구가 본인이 성경 통독을 여러 번 해보았는데, 너무 좋은 시간이라고 함께 하면 좋을 것 같다고 해서 그 계획을 구체화해 보기로 했다.

통독 방법을 정하는 데 여러 가지 의견이 많았다. 읽는 속도와 일정, 서로 읽은 것을 어떻게 온라인상에 공유할 것인가 누가 읽었는지 안 읽었는지를 어떻게 확인할 것인가 등 여러 가지 이야기가 있었지만, 우선 한번 해보기로 했다.

전체 일정을 그래도 가장 경험이 많았던 친구에게 맡기기로 했고, 그 친구의 의견이 처음부터 전체 성경을 처음부터 끝까지 읽는 것은 무리가 있다고 해서 우선 성경 통독을 함께할 친구들을 모은 다음 처음엔 잠언과 시편을 읽으며 워밍업을 한번 해보고, 본격적인 통독을 하기로 하였다. 이때가 코로나가 한참 진행되던 2020년 7월이었다.

시작은 카카오톡에 단톡방을 만들고, 매일 읽어야 할 말씀의 분량을 정하고 각자의 자리에서 매일 읽은 내용을 각자의 방식으로 인증하는 형태로 진행되었다. 주 7일 인증하는 것은 아니었고 주일날을 빼고 주 6일간 자신이 읽은 말씀을 인증하였다. 25명의 친구가 단톡방에 모였다. 매일 잠언 1편을 읽고 그 말씀에 대한 간단한 묵상을 같이 톡방에서 나누었다. 같은 말씀을 매일 같이 읽고 온라인상에서 나눈다는 것은 이전에 경험해 보지 못한 새로운 경험이었다. 초기에 온라인상의 공간은 우리를 오프라인의 모임보다 더 드러내지 못하게 하였지만, 매일 만난다는 것, 그리고 좀 더 많은 사람이 만난다는 것이 모임의 특성을 다르게 하였다. 조금씩 조금씩 말씀 구절에서 말씀 묵상으로 나아가 서로의 삶을 나누기 시작했다. 말씀 묵상은 삶과 연결될 수밖에 없었다. 현재 나의 상황과 고민과 문제들을 나누면서 우리는 자연스럽게 같이 기도하는 공동체가 되었다. 매일 말씀을 읽으며 서로를 위해서 함께 기도할 수 있는 공동체의 힘은 컸다. 이렇게 함께 말씀을 나누는 힘을 느끼게 되면서 통독에 대한 기대감은 더 커져만 갔고, 드디어 2020년 9월 성경을 함께 매일 읽기로 모인 25명의 친구는 통독 여행을 시작하게 되었다.

처음 하는 온라인 통독 여행에 대한 기대감과 함께 불안한 마음도 없지 않았지만, 우리에게는 다행히 여러 번 통독을 해본 친구가 있었고, 그 친구는 자신을 가이드라고 불러달라며 우리의 15주간 통독여행을 안내하였다. 여러 통독 프로그램 중에

'비전통독'이라고 하는 15주 프로그램을 해보기로 하였다. 처음에는 단톡방으로 시작되었으나, 우리들이 함께 나눈 귀한 이야기들이 사라져 버리는 문제 때문에 네이버 밴드를 이용하기로 하였다. 밴드에 그 전날 밤에 다음날에 읽어야 할 성경 말씀 범위가 공지되고, 그 글에 댓글을 다는 방식으로 진행되었다. 최소한의 요구사항으로는 말씀을 읽었는지만 표시하면 되었고, 거기에 더 나아가 그날 읽은 말씀 중에 인상적인 구절을 같이 표현하기도 하고, 정말 시간이 더 있으면 그날의 묵상을 함께 나누게 된다. 다른 친구들이 어떤 말씀 구절을 올렸는지 보고 또 친구들의 묵상을 보고 댓글을 달고 하면서 혼자 하는 말씀 읽기가 아닌 말씀과 삶을 나누는 형태로 진행되었다.

그렇게 매일매일의 읽을 분량을 함께 읽고 밴드에서 댓글로 나누고, 매일 한 서너 번 정도 출석 확인이 있었다. 밴드에 댓글을 올린 친구들이 몇 명인지 확인해서 올리면서 카톡방에서 서로의 출석 체크를 독려하면서 함께하는 힘도 느낄 수 있었다. 주 6일을 읽고 하루 쉬는 일정이었고, 혹시 밀린 분량이 있으면 그때 보충을 하고 서로 맞추어서 갔다. 또한 성경을 읽기 어려울 경우가 있기 때문에 음원이 제공되었다. 그래서 대중교통 등을 이용하는 시간에 듣는 것으로 대신할 수 있었다. 나 같은 경우도 회사가 멀어서 출퇴근 시간이 길었기 때문에 그 시간을 말씀 듣는 시간으로 활용할 수 있어서 좋았다.

통독을 여러 번 경험했던 친구가 시작하기 전 우리의 성경 통독은 짧은 시간에 진행되는 세계 일주 단체여행 프로그램이라고 비유해서 설명했다. 한 장소 장소를 자세히 볼 수 있는 일정이 아니고, 전 세계를 단체 관광버스를 타고 함께 가야 하는 형태이기 때문이다. 세부적인 부분을 바라보기 보다는 대략적으로라도 전체를 보는 연습을 해야 하고 또 많은 사람이 같이 가는 일정이므로, 나 혼자 어떤 부분을 자세히 보고 싶어도 꾹 참고 여행 가이드의 안내와 정해진 스케줄에 따라서 진행이 되어야 15주 일정에 끝낼 수 있다. 또한, 가이드가 매일매일 단체버스에 모든 인원이 다 탑승했는지 확인을 하고 출발해야 낙오자가 없이 진행될 수 있기 때문에 서로서로 챙기면서 가자고 하였다. 그 비유는 정말 적절했다. 세계 일주를 혼자서 계획해서 진행하려면 계획하는 시간도 많이 걸리고 여러 가지 변수를 예상할 수 없고 처음 계획한 일정에 맞출 수 없는 경우가 많을 것이다. 하지만 단점도 어쩔 수 없이 있다. 정해진 일정에 맞추어 가야 하기 때문에 내가 조금 더 시간을 할애해서 자세히 보고 싶은 곳을 보지 못하게 되어 아쉬움이 남게 된다. 패키지여행과 자유여행의 차이로 이해하면 될 것 같은데, 이렇게 한번 대충이라도 세계여행을 마치게 되면 내가 좀 더 자세히 보고 싶은 곳은 나중에 따로 방문해서 보면 된다는 것이었다. 그 말을 믿고 따르기로 했다. 좀 이해가 안 되는 부분은 그냥 넘어가기로 했다. 좀 더 보고 싶은 부분은 표시하고 남겨 두기로 했다.

　그렇게 우리는 조금씩 매일의 말씀 읽기에 조금씩 익숙해졌고, 어느새 함께하는 15주라는 시간이 지나 첫 성경 통독을 한 명의 낙오자 없이 모두 마치게 되었다. 다 함께 모여서 축하 파티를 하고 싶었지만, 코로나가 한참 진행 중이었기에 서로에게 축하하는 시간도 온라인으로 할 수밖에 없었다. 대부분의 참여자가 통독을 처음 해보거나 전에 한 적이 있어도 중간에 낙오한 경우가 많았다면, 코로나로 인하여 만남의 시간 등이 줄어들고 집에 있어야 하는 시간이 늘어난 이 시기에 온라인상에서 서로 격려하며 진행된 이번 통독은 성공적으로 진행될 수 있었다. 그중에서도 15주간 매일 말씀을 올리고 친구들을 독려하고 때로는 강요 아닌 강요도 하면서 이끌어준 통독 여행 가이드라고 불린 친구의 숨은 노력이 얼마나 큰 지 4년이 지난 지금 내가 통독 여행 가이드를 하면서 몸소 체험하고 있다.

　나를 포함한 친구들이 통독에 대해 한 줄 소감을 적었다. 그때 나눈 글을 몇 개 적어본다.

　"통독은 치즈케이크다. 먹기 전엔 부담스러운데 한입 들어가면 못 멈추고 행복해진다."

　"통독은 보물찾기이다. 자꾸 읽다 보면 처음에는 안 보이던 보물 같은 진리가 찾아진다."

"통독은 연결이다. 하나님과 연결되고, 친구와 연결되고, 세상을 향해 연결점이 된다."

앞선 소감들처럼 시작할 때 부정적이었던 친구들도 함께하는 힘을 말씀의 힘을 나눔의 힘을 이야기하면서 우리는 모두 흥분하였다. 자연스럽게 조금 쉬었다 또 통독을 함께 하자는 이야기가 나오게 되었고, 우리는 코로나가 지나간 지금 바로 오늘도 통독을 온라인으로 함께 봄, 가을 진행하고 있다.

그리고 그 감동과 감사와 기쁨으로 우리는 십시일반으로 조그마한 정성을 모아서 동기 중에서 하나님을 섬기는 일을 하면서 조금은 어려운 환경에 있는 친구에게 그 감사를 흘려보내기로 했다. 각자의 형편에 맞게 마음에서 우러나는 대로 자유롭게 모인 그 자그마한 씨앗은 누군가에게 또 다른 열매가 되어 나타나리라 믿는다.

우리가 방학이라고 부르는 잠시 쉬는 기간에도 뭔가 함께할 수 있는 것을 원하는 친구들이 있었다. 그 기간에는 원하는 친구들이 소규모로 모여서 특정 말씀(예를 들면 로마서)에 대한 강해 설교를 같이 듣고 단톡방에서 매일 나누기도 하고, 매일매일 한 구절 정도를 같이 암송해서 톡방에서 나누기도 하고 다양한 형태의 소규모로 진행되는 '방학 탐구생활'이라는 형태의 모임 등을 진행했다. 그중 가장 인기가 많았던 소규모 모임은 코로나라

피트니스 등에 가지 못했기에 매일의 각자의 운동을 인증하는 '홈트방'이다. 영적인 건강에 못지않게 육체적인 건강에도 모두 관심이 많았기에, 이 모임은 방학이라는 통독을 쉬는 시간에만 하는 것으로 끝나지 않고 지금도 계속 매일 각자의 운동 인증을 하며 서로를 격려하는 모임으로 온라인상에서 계속 진행 중이다.

이처럼 코로나로 함께 모일 수가 없어서 온라인으로 무엇을 함께 할 수 있을까 하는 고민에서 시작된 우리의 온라인 통독 모임은 나의 삶을 바꾸어 놓았다. 매일매일 함께 말씀을 읽고 삶을 나눈다는 것은 우리가 가까워질 수밖에 없는 시간이고 필요한 기도를 서로 요청하고 그 안에서 함께하시는 그 분을 만나는 시간이었다. 서로 너무나도 친밀한 관계가 되었고 앞으로의 남은 시간도 함께해 나갈 것이다. 이 글을 쓰고 있는 지금도 38명의 친구와 함께 온라인으로 성경 통독을 계속해 나가고 있고, 앞으로도 쭉 하고 싶고 그렇게 될 것이라 믿는다.

온라인 독서모임

독서를 즐기게 된 처음을 기억해 보면 왜 그랬는지는 모르겠지만, 고3 겨울방학 때인 듯하다. 남는 시간을 책을 직접 골라 보면서 읽을 수 있었기에 근처 도립 도서관에 매일 출근하며 소설류부터 철학 서적 등까지 다양한 책을 접하면서였던 것 같다.

그 이후 대학 생활할 때는 헌책방을 찾아다니는 즐거움을 알게 되어 시간이 날 때마다 보물찾기 하듯 헌책방에 가서 뭔가 재미가 있을 것 같은 책을 싼 가격에 사는 즐거움을 누리곤 했다. 뭐 어떤 책은 사서 안 읽기도 했지만, 책장에 책이 늘어나는 지적 허영을 누렸던 것 같다.

회사 생활이 시작되고, 결혼을 하고 아이가 태어나고 책과 천천히 조금씩 멀어졌다. 그러다 직장 상사 중에 책을 좋아하던 분과 책 이야기를 새롭게 나누게 되었고 추천해 주셨던 몇 권의 책을 읽게 되며 오래전 나의 친구이자 휴식처였던 책을 다시 만나게 되었다.

그러다 혼자 책을 읽는 것보다 함께 책에 대한 이야기를 나누는 것이 재미있겠다는 생각에 독서 모임을 찾게 되고, 퇴근길에 다른 회사 사람들과 함께 카페에 모여서 책에 대한 이야기를 하는 모임을 알게 되어 참여하게 되었다.

전혀 다른 배경을 가지고 있고 연령대도 다른 사람들이 격주로 모여서 같은 책을 읽고 나누는 것은 생활의 활력소가 되었고, 그 시간이 기다려지기까지 했으며 혼자 읽는 책 읽기와 비교할 수 없을 정도로 색다른 재미가 있었다. 하지만 독서 인원을 지속해서 유지해 나가는 것이 쉽지 않아서 1년 정도 나에게 즐거움을 준 뒤에는 추억으로 남게 되었다. 그러던 중 코로나로 인하여 다른 모임들도 없어지고 회식도 없어지면서 나만의 탈출구가 사라져 버리는 것 같았다.

회사 업무에서 코로나로 대면 회의를 못 하게 되면서 온라인 회의가 시작되었다. 여러 가지 온라인 회의 프로그램을 알게 되었고, 각자의 자리에서 마이크와 카메라를 이용하여 온라인으로 하는 회의는 처음에는 너무 어색하기만 하였으나 여러 가지 장점도 나타났다. 우선 꼭 같은 공간이 아니어도 되는 온라인 회의의 특성상 지역적인 제한이 사라졌다. 그리고 아무래도 회의 시간이 단축되었다. 대면으로 할 때보다 좀 더 서로 조심하는 경향이 나타났으며 부정적인 말을 아끼는 분위기가 되었다. 이동시간 등도 필요 없었고 회의실을 예약하거나 할 필요도 없어졌다. 물론 회의 결과의 효율성은 조금 낮아진 것 같았다. 온라인 회의가 직접 같은 공간에서 서로 친밀하게 느낄 수 있는 그 분위기와 같은 공간에 있는 경험의 힘이 주는 동질감을 완전히 대체할 수 없었다.

그러던 중 친구들 사이의 모임도 온라인 모임으로 진행해 보았다. 생각보다 재미있었다. 완전히 같이 있는 느낌을 갖진 못 했지만 서로의 삶을 나누기에는 충분했다. 그러자 내가 좋아하는 독서모임도 이러한 형태로 진행할 수 있겠다는 생각이 들었다. 이전에 함께 모임에 참가한 사람들에게 연락하였다. 같이 모임을 진행할 수 있을지 물어보았다. 무엇보다도 서로 시간을 맞추기가 오프라인 모임에 비하여 쉬웠다. 이전에는 힘들었던 주말 저녁 시간이 서로의 시간을 맞추기가 더 좋았다. 저녁 8시쯤 모임을 해서 한 시간 반쯤 하면 되니 가족들과 저녁 시간 이후에도 전혀 문제없이 모임에 참석할 수 있었고, 또 오가는 시간이 필요 없으니 딱 한 시간 반 정도의 시간만 빼서 모임에 참석할 수 있는 장점이 있었다. 물론 거기에 지역적인 제한도 없어져서 핸드폰만 있으면 야외에서도 참석이 가능하였다. 이러한 장점 덕에 이전 회원에서 일부 및 새로운 회원을 모을 수 있었고 온라인 독서모임이 새롭게 시작되었다.

온라인 독서모임의 플랫폼은 일반적으로 알려져 있는 Zoom이 아닌 Jitsi Meet라는 앱이다. 두 프로그램의 거의 유사한 기능을 가지고 있는데, 가장 큰 차이는 Zoom은 유료이고 Jitsi Meet는 시간제한 등이 없는 무료 프로그램이라는 점이다.

몇 년간 Jitsi Meet 프로그램을 사용해 본 결과, 단점(얼굴보정 기능이 없으나 배경관련 기능은 유사)보다는 장점(안정적이고, 무엇보다 무료이고, 자료공유 및 영상저장 등 부가 기능이 많고 참가자 중 누가 마이크를 많이 사용하고 있는지 실시간으로 확인가능 등)이 많은 프로그램이라서 온라인으로 모임을 계획하는 분들이 있다면 추천하고 싶은 프로그램이다.

온라인 모임으로 새롭게 시작된 독서모임인 생각했던 것보다 더 재미있었고 코로나는 끝났지만 이 글을 쓰고 있는 현재도 진행형이다. 코로나로 인하여 새롭게 시작된 모임의 형태였지만 진행해 보니 공간적, 시간적인 제약이 오프라인에 비하여 많이 자유롭고 독서모임의 특성상, 같이 책에 대한 이야기를 나누는 것에 주제가 한정되어 있다 보니 온라인과 오프라인의 차이가 그리 크지는 않게 느껴졌다. 물론 오프라인 만의 장점이 분명히 있기에 1년에 두 번 정도는 직접 만나서 같이 밥도 먹고 책도 나누고 있다.

코로나를 보내며 우리에게 온라인 미팅, 교육, 모임 등이 활성화되었다. 특히 지역적인 제한이 없으며, 시간도 절약이 되는 장점 등과 처음 생각했던 것 보다 효율성이 높다고 판단된다. 무엇보다도 서로 얼굴을 직접 안 본다는 단점이 장점이 되어 가는 아이러니한 상황이 전개되면서 코로나가 끝난 지금에도 유용한 수단으로 계속 이용되고 있는 것 같다.

출간 후기

뒤 풀 이

| 민 세 원

드디어 동네북클럽의 첫 테마 작품집이 세상에 모습을 드러내는 순간이네요. 작년에 우리가 오디오북 제작을 배우기 위해 처음 만났을 때만 해도 이렇게 정기적으로 모여 글을 쓰고 책을 출간하는 공동저자가 될 줄은 몰랐는데 말이죠. 아마 혼자였다면 차일피일 미루다가 영원히 실현되지 않을 버킷리스트로 남았을 거예요. 저는 제가 쓴 글을 열심히 읽어주고 따뜻한 격려의 말을 건네주는 동료가 있다는 것만으로도 행복한 시간이었는데, 모두 어떠셨나요?

| 고 민 경

책은 특별한 사람들만 쓰는 줄 알았습니다. '우연'이 엮어 준 만남으로 서로를 알게 되었고 글쓰기를 통해 한 사람, 한 사람의 특별함을 발견하게 되었습니다. 이제는 '인연'이 되어 9인 9색의 이야기를 모아 한 권의 책으로 묶었습니다. 이 모든 것은 우리가 된 덕분입니다~!

| 권 누 리

호기심으로 우연히 신청한 수업에서 좋은 분들을 만나 버킷리스트였던 책 출판도 하게 되었어요. 열정적으로 앞에서 끌어주시는 분들 덕분에 평생 숙제로 남을 뻔한 일을 일 년도 안 되어

해냈습니다. 관심사가 같은 다양한 사람들이 반짝이는 아이디어를 쏟아내면 일이 일사천리로 진행되는 모습이 정말 신기하고 재미있었어요. 아름다운 인연으로 우리만의 책이 만들어지다니 정말 행복합니다. 우리가 해냈어요!

| 정 충 영

한창 글을 쓰던 계절의 여왕 봄을 기억합니다. 벚꽃, 목련, 개나리, 진달래, 민들레 그리고 철쭉까지 만개했더랍니다. 개인적으로 책 두 권을 내고 뜻이 맞는 분들과 작품집을 내면 재미있겠다고 생각했습니다. 개인 책이 화단에 심은 튤립이라면 작품집은 각양각색 봄꽃이 핀 들판입니다. 우리 동네북클럽 회원들은 직업도, 성별도, 연령대도 다양합니다. 그랬더니 무지개 같은 아름답고 멋진 책이 한 권 탄생했습니다. 책보다 더 좋았던 건 소통과 연대를 통해 뭔가 이루었다는 소중한 기쁨입니다.

| 박 경 영

정말 꿈이 이루어졌어요. 제가 쓴 글이 마침내 책으로 곱게 포장이 되어 세상에 그 모습을 드러낸다는 사실이 마냥 신기하기만 합니다. 좋은 사람들을 만나고, 글을 써 나가고, 다양한 의견들을 나누고, 서로의 생각을 모으고 또 마음을 모으고. 이 모든 과정은 저에게 특별한 경험이었던 것 같습니다. 그리고 행복한 시간이었습니다.

세상에 모습을 드러낸 우리의 따뜻한 책이 전해준 감격과 설렘 그리고 포근한 정다움이 내일의 저의 삶을 더욱 기대하게 하는 것 같습니다.

| 나타샤

책을 쓴다는 것, 만든다는 것, 낸다는 것은 '글을 쓴다'는 것과는 또 다른 이야기라고 생각했어요. 그런데 글 마감을 지키다 보니 어떻게 책이 되었어요. '첫 경험'이란 키워드로 창작한 동네 북클럽의 테마 작품집! 동네 도서관의 오디오북 만들기로 만나 글쓰기에 발을 디딘 아홉 명을 응원해요.

| 정형일

우연히 도서관 오디오북 만들기에 반강제적(?)으로 참여하게 되었고, 생각했던 것보다 무엇인가 만들어져 나온다는 것이 재미있었어요. 다시 함께 새로운 모임을 이어 나가 같이 모여 이야기하고 서로를 응원하며 그 과정을 즐기다 보니, 또 이렇게 우리의 첫 작품집이 만들어졌습니다. 그 과정에서 함께한 분들의 다양한 재능에 놀랐고 열정에 감동하였습니다. 이 첫 경험이 우리 모두를 또 다른 처음으로 이끌어줄 것을 믿게 되었고, 무엇보다 함께한 한 분 한 분에게 모두 감사하다고 말하고 싶습니다.

| 박 노 랑

저는 아직도 실감이 나질 않네요. 하고 싶은 게 너무 많아 항상 일을 벌이고 다니면서도 유일하게 손대지 못하던 게 글 쓰는 일이었어요. 자기를 많이 들여다보고 잘 꺼낼 수 있어야 하는데 저는 제 속마음을 겉으로 잘 드러내지 못하는 사람이거든요. 배려심과 열정이 넘치는 동네북클럽 멤버들 덕분에 시간이 조금 많이 필요한 저도 포기하지 않고 함께 할 수 있었던 것 같아요. '첫 경험'이라는 이번 주제를 잘 표현해 주는 건 뭐니 뭐니 해도 이번 책이 우리의 첫 번째 책이란 거죠! 모두 감사하고 축하드립니다.

| 무 아 상

혼자보다는 여럿, 의지력에 기대기보다는 환경을 만들고 즐기며, 언젠가 보다는 마감의 힘을 실감합니다. 같은 뜻을 가진 아홉 명이 각자의 개성을 표현하며, 새로운 색깔을 가진 한 권의 책을 만들었습니다. 글을 읽고 쓰면서 더욱 사람들과 나에 대해 잘 이해하게 되었습니다. 이 책을 읽는 분과도 더 큰 하나가 되어 가길 바랍니다.